Dernier refuge

Jane McFann

Traduit de l'anglais par
LOUISE BINETTE

À mes parents, qui m'enseignent depuis toujours l'amour, le courage et l'importance de la famille, et à James A. Hoosty, R.K

Données de catalogage avant publication (Canada)

McFann, Jane

Dernier refuge

(Frissons ; 60)
Traduction de : Hide and Seek.
Pour les jeunes de 12 à 14 ans.

ISBN 2-7625-8413-2

I. Titre. II. Collection.

PZ23.M327De 1996 j813'.54 C95-941839-3

Dépôts légaux : 1er trimestre 1996
Bibliothèque nationale du Québec
Bibliothèque nationale du Canada

ISBN : 2-7625-8413-2 Imprimé au Canada

LES ÉDITIONS HÉRITAGE INC.
300, rue Arran, Saint-Lambert (Québec) J4R 1K5
(514) 875-0327

Fin

« Seize ans, c'est trop jeune pour mourir », pense Lisa. Mais il faut dire qu'il s'agit de circonstances inhabituelles. En fait, ce sera un soulagement pour elle. Lisa a tout fait pour échapper à la mort. Maintenant, elle se terre dans la dernière cachette qu'elle a pu trouver même si elle sait que c'est inutile.

Les pas se rapprochent.

Jacquot s'agite dans la main de Lisa, qui lui effleure la tête pour l'apaiser. Elle espère que l'oiseau ne criera pas : ça ne ferait que précipiter l'inévitable. Mais Jacquot se calme et gazouille doucement. Lisa ne peut pas plier la main ni bouger la tête pour le regarder. De toute façon, elle n'a pas besoin de le faire. Elle connaît par cœur chaque plume verte et chatoyante de son petit corps, et sa tête grise. Jacquot fait environ dix centimètres de haut et ne pèse que quelques dizaines de grammes. C'est un inséparable à tête grise, une espèce de perroquet reconnue pour son intelligence, sa bonne nature et sa capacité à s'attacher à son propriétaire.

Jacquot. Son seul vrai ami.

Si Lisa pouvait faire un vœu avant de mourir, ce serait que Jacquot soit recueilli par la grand-mère de Félix. Elle sait que chez elle l'oiseau serait aimé et protégé.

Aimé.

Protégé.

Lisa s'est-elle déjà sentie aimée et protégée ?

Elle fouille dans sa mémoire, mais sans succès.

La tristesse l'envahit. Ça n'aurait pas dû se passer comme ça.

Comment s'est-elle retrouvée là ? Quelle décision a sonné l'heure du point de non-retour ?

Et qui a pris cette décision ?

Lisa ne croit pas que c'est elle, mais elle n'en est plus certaine.

Les pas se rapprochent, puis changent de direction. Lisa bouge la main lentement, un centimètre à la fois, jusqu'au moment où Jacquot se blottit sous son menton ; là, contre sa gorge, elle peut sentir les doux battements de son cœur.

Lisa se demande si quelqu'un ou quelque chose pourra encore lui manquer après la mort. Si c'est le cas, elle s'ennuiera de Jacquot.

Seulement de Jacquot.

Peut-être de Félix, aussi. Une pensée lui traverse l'esprit, mais elle la chasse aussitôt. Elle ne pensera pas à lui. Ce n'est pas le moment. D'ailleurs, il n'y aura jamais d'autre moment.

Pas Félix.

C'est impossible.

Lisa songe à des livres qu'elle a lus, où une personne sur le point de mourir voit défiler devant ses yeux, comme un film en accéléré, les événements marquants de sa vie. Ce n'est pas qu'elle a eu une vie très mouvementée, mais elle veut mourir en paix. Et pour ça, il lui faut comprendre. C'est sa dernière chance.

« O.K., se dit-elle. On commence au début. Il faut que je comprenne. »

Lisa s'installe dans le trou creusé au pied de l'arbre, abritée sous une mince couche de feuilles qu'elle a réussi à mettre sur elle. Elle caresse la tête de Jacquot d'un mouvement rythmé et force son esprit à retourner dans le passé.

Il y a peut-être une autre explication.

La personne qui se trouve là, dans le bois, n'est peut-être pas celle qu'elle croit.

Peut-être qu'elle se trompe complètement.

Pourtant, elle sait que non.

Lisa ferme les yeux. L'obscurité est devenue l'écran sur lequel elle projettera ses souvenirs.

Elle sait qu'elle doit commencer. Elle ne peut plus se permettre d'attendre.

Le commencement

I

Lisa retrouve son premier souvenir net. Elle ne sait pas quel âge elle a ; probablement quatre ou cinq ans. Ce dont elle se souvient le plus clairement, c'est du parfum de sa mère. Pour Lisa, il évoque les grandes fleurs roses qui poussaient le long de la clôture.

— Chut ! Lisa. Ne fais pas de bruit. Papa travaille, murmure la voix douce de sa mère à son oreille tandis qu'elle la serre contre elle.

— Je joue, c'est tout. J'aime ça, barboter dans ma piscine.

Lisa revoit la pataugeoire en plastique rigide à motifs de poissons aux couleurs vives.

— Je sais, Lisa, mais tu ne dois pas faire de bruit. Il ne faut pas déranger papa quand il travaille.

— Alors, qu'est-ce que je peux faire ?

Lisa se rappelle la frustration qu'elle ressentait. Il faisait très chaud et l'eau de la pataugeoire était merveilleusement fraîche.

— Rentrons. Je vais te lire une histoire.

— Non.

— Tu ne dois pas dire non, réplique sa mère en se reculant brusquement. Regarde-moi dans les yeux. Tu ne dois pas dire non !

Lisa se souvient de la peur qu'elle a éprouvée. Sa mère était en colère contre elle. Elle était sûrement une très méchante petite fille.

— Je m'excuse, chuchote Lisa. Je m'excuse.

Sa mère la serre très fort dans ses bras.

— Tu es une bonne petite. Quel livre veux-tu lire aujourd'hui ?

Accrochée à la main de sa mère, Lisa marche sur la pointe des pieds jusqu'à la maison. Lire, ça ne fait pas de bruit et ce n'est pas dangereux. Peut-être qu'il vaut mieux lire que de s'ébattre dans la pataugeoire, même quand il fait très chaud.

Le souvenir de Lisa s'arrête là. Elle ne se rappelle pas quel livre elles ont lu ni quoi que ce soit d'autre avant l'heure du souper.

— Qu'est-ce qui faisait tant de bruit cet après-midi ? gronde son père en entrant dans la maison.

Il ne travaille pas dans la maison, mais dans la grange au fond de la cour. Lisa n'a pas la permission d'y aller, même si ça semble un endroit parfait pour jouer.

— Je suis désolée, chéri. J'espère qu'on ne t'a pas empêché de travailler.

Lisa se demande ce que son père fait comme travail. Il lui arrive de penser qu'il est médecin. C'est toujours silencieux quand elle va chez le docteur Drouin. Son père fait peut-être la même chose. Ou peut-être y a-t-il une bibliothèque dans la grange. La dame de la bibliothèque répète toujours aux enfants de se taire, comme sa mère.

— Tu sais bien que le bruit me dérange, dit son père.

— Oui, chéri, je sais. Demain, on ira peut-être au parc, Lisa et moi.

Lisa sourit. Elle aime aller au parc. Elle peut courir au lieu de marcher sur la pointe des pieds. Si elle pousse un cri excité sur la grande glissoire gris argent et chaude, personne ne lui dit de se taire. Elle peut aussi se balancer. Lisa adore se balancer. Elle agrippe solidement les chaînes, se penche en arrière et laisse ses longs cheveux toucher le sol, tout en regardant le ciel et les arbres qui semblent se rapprocher et s'éloigner.

Plus que tout, Lisa veut voler. Elle veut s'envoler dans le ciel comme un oiseau, battre des ailes et voler, voler, voler. Elle ne fera pas de bruit du tout. Elle volera simplement vers les arbres, se posera sur les branches les plus hautes et regardera le monde. Personne ne la verra car elle se cachera dans les feuilles.

Se cacher dans les feuilles... Lisa revient brusquement dans le présent. Elle frissonne et s'assure que Jacquot est au chaud dans sa main. C'est un oiseau tropical censé vivre dans la jungle africaine, où son plumage vert vif se fondrait dans le feuillage éclatant. Il lui faut un climat chaud ou un intérieur tempéré. Il n'est pas fait pour être dehors par une journée froide d'octobre.

Lisa le protégera aussi longtemps qu'elle le pourra. Elle le tiendra au chaud.

Le souvenir qu'elle vient d'évoquer est encore présent dans son esprit. Elle se rappelle à quel point elle était excitée quand elle se penchait si loin en arrière que ses cheveux touchaient le sol. C'était un peu pour ça qu'elle aimait tant se balancer.

Quand donc a-t-elle eu les cheveux longs ? Étrangement, elle a l'impression de les avoir toujours portés très court.

Des cheveux de lutin, comme dit Félix.

Félix. Non. Elle s'est juré de ne pas penser à lui.

Lisa a soudain très envie d'avoir les cheveux longs. Elle veut les sentir balayer son dos. Elle veut les sentir derrière elle dans le vent. Elle veut danser nue au clair de lune, les cheveux épars.

Mais elle n'en aura pas le temps.

Les pas reviennent.

Le commencement

II

Lisa ne veut pas écouter les pas. De nouveau, ils changent de direction, plus rapides, plus vifs, plus bruyants qu'au début, où chaque pas était silencieux et prudent.

Maintenant, les pas sont insouciants, mais confiants. Lisa est proche. Elle est prise au piège.

Elle mourra bientôt.

Jacquot s'agite dans sa main, contre sa gorge. « Encore un peu, pense Lisa. Dors encore un peu, petit oiseau vert. Après, ça n'aura plus d'importance. »

Elle a les larmes aux yeux et replonge dans ses souvenirs. Même s'ils ne sont pas heureux, ils lui permettent de ne pas penser au bruit de pas et au visage qu'elle verra bientôt.

Elle retourne en arrière. Elle se rappelle comme si c'était hier le jour où ses cheveux ont été coupés. Ça ne s'est pas passé le même jour que son tout premier souvenir, mais Lisa croit que ce n'était pas bien longtemps après. Elle était encore toute petite et n'allait même pas à l'école. Elle le sait, car elle a les cheveux courts sur la photo de sa classe de maternelle.

Ce jour-là, son père travaille toute la journée. Quand il rentre à la maison, Lisa et sa mère sont assises dans la cuisine. Lisa se souvient de la cuisine, des rideaux blancs à la fenêtre au-dessus de l'évier et du plancher à carreaux noirs et blancs. Parfois, sa mère la laissait jouer à la marelle dans la cuisine. Quand son père entre, il a l'air mécontent. Il ouvre le réfrigérateur tout grand et referme la porte d'un geste brusque, sans rien prendre. Lisa est saisie par l'entrée soudaine de son père. Elle est assise à la table de la cuisine tandis que sa mère tresse ses longs cheveux bruns. Une tresse est déjà terminée ; sa mère l'a nouée au bas avec le ruban bleu préféré de Lisa. Elle lui brosse les cheveux et les divise en trois pour faire l'autre tresse.

— Ne me demande pas comment ça a été aujourd'hui, crie son père. Je ne sais même pas pourquoi je continue à essayer. Il n'y a rien qui marche.

— Tu verras, chéri, tout s'arrangera. Tu trouveras une solution. Tu en trouves toujours.

— C'est facile à dire, rétorque-t-il en ouvrant et en refermant bruyamment les portes des armoires.

« Moi, j'aurais des ennuis si je faisais autant de bruit », se dit Lisa.

— Regarde comme Lisa est jolie ! Je lui ai lavé les cheveux et je lui fais des tresses.

Son père se retourne et les regarde en face pour la première fois depuis qu'il est entré. Il dévisage Lisa. Elle se souvient encore de ses yeux. Ils étaient si sombres qu'ils paraissaient noirs et Lisa avait eu l'impression qu'ils pouvaient la transpercer d'un seul regard.

« Je ne fais pas de bruit, se dit-elle. Je ne fais pas de bruit du tout. »

— Je déteste les cheveux longs, dit son père en la regardant fixement.

Sa voix est terriblement calme ; c'est pire que les cris.

— Coupe-les.

— Voyons, chéri, tu ne penses pas ce que tu dis. Attends que j'aie fini les tresses. Tu verras comme ce sera joli. On pourra même les relever avec des épingles, si tu veux.

Lisa serre l'autre ruban bleu très fort dans sa main.

— Ne me dis pas que je ne pense pas ce que je dis. Et ne crois surtout pas que tu sais mieux que moi ce que je pense, dit son père en chuchotant presque. Coupe-les ou c'est moi qui le ferai.

Lisa souhaite disparaître. Peut-être que, si elle ne bouge pas, ne respire pas, son père oubliera qu'elle est là.

— Je suis navrée que tu aies eu une mauvaise journée, dit sa mère d'une voix apaisante. Lisa et moi, on va te laisser seul pour que tu puisses te détendre.

Lisa sait que sa mère tente d'arranger les choses, mais ça ne donne rien. Son père ouvre brutalement le tiroir du haut du comptoir de cuisine, celui à droite de l'évier où sont rangés des tas de trucs. Il s'avance vers elles, tenant dans sa main les ciseaux à anneaux orange. La veille, Lisa les a utilisés avec précaution pour découper des images.

Lisa ne bouge pas, même si elle a envie de s'enfuir. Elle ne lève pas les yeux, ne respire pas, n'émet pas un son. Sa mère non plus.

Son père traverse la cuisine en quelques pas et saisit la tresse nouée avec le joli ruban bleu. Il la coupe net, tout près de la tête, puis jette la tresse sur la table. Ensuite, il range les ciseaux et sort de la maison.

Lisa regarde la tresse, horrifiée. C'est comme si son père lui avait coupé un membre — un bras ou autre chose. Sa mère s'agenouille à côté d'elle et l'enlace.

— Je regrette, répète-t-elle encore et encore. Je regrette, mon bébé.

Lisa ne comprend pas pourquoi sa mère regrette. Ce n'est pas elle qui a coupé la tresse. Lisa ouvre la main, celle où se trouve l'autre ruban bleu, et tourne le dos à sa mère pour le poser à côté de la tresse coupée.

Lisa et sa mère montent dans la voiture et roulent jusqu'en ville, où une dame lui coupe le reste de ses cheveux.

— Je regrette de devoir les couper si court, dit-elle, mais la tresse a été coupée au ras de la tête.

— Ça ne fait rien, dit sa mère. Lisa et moi, on est convaincues qu'elle sera très jolie avec les cheveux courts. Ce sera moins chaud et plus facile à coiffer.

Toute triste, Lisa regarde ses cheveux qui tombent sur le plancher.

Après, sa mère l'emmène manger de la crème glacée, mais Lisa ne se souvient pas de ce qu'elle a choisi. Elle ne devait pas en avoir mangé.

Elle se souvient seulement qu'elle ne se sentait pas belle et qu'elle restait silencieuse.

— Tout ira bien, murmure sa mère à son oreille en venant la border ce soir-là. Je te le promets. Il est un peu anxieux, c'est tout.

Lisa se demande ce que « anxieux » signifie. Mais elle ne dit rien.

Malgré elle, le souvenir récent de sa première journée à la polyvalente cet automne refait surface subitement. Elle est nouvelle dans une école où tout le monde a déjà ses amis et ses habitudes. Elle ne s'attend pas à ce que quiconque lui adresse la parole, et c'est tant mieux. Tout ce qu'elle veut, c'est aller en classe, faire ce qu'on attend d'elle et repartir comme elle est venue.

— T'as des beaux cheveux, dit une voix masculine lorsqu'elle s'assoit à sa place au cours de français.

Lisa ne réagit pas, espérant que le compliment ne lui est pas destiné.

— Hé ! t'as vraiment des beaux cheveux ! répète la voix.

Cette fois, elle sent une main lui effleurer la nuque.

Elle se retourne vivement, les yeux flamboyants de colère.

— Touche-moi pas, dit-elle.

— O.K., O.K. !

Lisa se souvient d'avoir été stupéfaite en voyant la tête du garçon. Il est blond et ses cheveux pendent en tire-bouchon sur ses oreilles et ses yeux.

— Je savais pas comment tu t'appelais.

Il lui fait un grand sourire.

— Moi, c'est Félix.

Lisa se retourne et ne dit rien.

— Excuse-moi. Je pensais pas que ça te fâcherait.

Lisa demeure silencieuse.

Pourquoi a-t-il fallu que Félix lui reparle après cet incident ?

Pourquoi surgit-il maintenant dans ses souvenirs ?

Et pourquoi les pas se rapprochent-ils de plus en plus ?

Chapitre 1

Lisa retient sa respiration, persuadée que les pas viendront dans sa direction, cette fois.

Mais il n'en est rien. De nouveau, les pas s'éloignent rapidement en écrasant les feuilles mortes. Le bruit explose dans ses oreilles. Elle est certaine que Jacquot va se réveiller, mais il semble dormir profondément, bien au chaud au creux de sa main, s'abandonnant dans son cou.

« Il faut que j'aille plus vite, se dit-elle. Je n'ai plus beaucoup de temps et il faut que je réfléchisse à tout ça. Si je veux comprendre, il faut d'abord que je me souvienne. »

« Véronique », pense-t-elle tout à coup. Elle n'a pas songé à Véronique depuis des années. Un jour, elle a eu une amie.

Lisa a fait sa connaissance en première année et elles sont tout de suite devenues amies. Lisa ne sait toujours pas pourquoi. Elle se rappelle leur première conversation dans la cour de l'école.

— Salut. Je m'appelle Véronique. Je peux te

frapper en pleine figure et te faire pleurer.

Lisa sursaute, surtout que la fillette aux longs cheveux roux et aux traits délicats est encore plus petite qu'elle.

— Je m'appelle Lisa.

— Alors, tu veux que je te frappe et que je te fasse pleurer ?

— Non, chuchote Lisa.

— Qu'est-ce que t'as dit ? Je t'entends pas.

— Non, répond Lisa un peu plus fort.

— Je pense que je vais le faire quand même, dit Véronique en se plantant devant Lisa et en agitant son poing devant son visage.

Lisa ne bouge pas, les bras de chaque côté d'elle, les yeux baissés.

— Hé ! tu te défends pas ? Tu sais pas te battre ?

Lisa demeure silencieuse. Peut-être que cette fille va s'en aller et la laisser tranquille.

Non, pas Véronique.

— O.K. Je te frapperai et te ferai pleurer un autre jour. Tu viens te balancer ?

Voilà quelque chose que Lisa sait faire ! Les deux fillettes s'assoient sur les balançoires, côte à côte, et Lisa monte tout de suite très haut.

— Hé ! tu te balances bien ! Comment tu fais pour aller si haut et si vite ?

Lisa ne répond pas et se penche en arrière. Ses cheveux courts ne peuvent pas toucher le sol, mais elle se penche quand même.

Bientôt, Véronique se balance aussi haut que Lisa.

— Penses-tu que, si je sautais maintenant, j'atterrirais sur le gazon là-bas?

Lisa suit son regard, alarmée. La pelouse est très loin. Lisa ralentit immédiatement en espérant que Véronique fera comme elle.

— Je pense que je pourrais, mais je me casserais probablement quelque chose, déclare Véronique. Et si je me casse quelque chose, je pourrai pas aller au chalet qu'on a loué dans les Laurentides pour la fin de semaine. Mais je pourrais sauter sur le gazon si je voulais vraiment.

Lisa hoche la tête, mais Véronique n'a pas dû s'en apercevoir.

— Si je peux pas aller au chalet, mes parents vont probablement me laisser à la maison avec ma grand-mère et ils emmèneront mon frère, ce qui serait pas drôle du tout.

Lisa se balance maintenant plus doucement.

Véronique continue:

— Il faudra alors que je me batte avec mon frère pour qu'il aille pas au chalet non plus. Mes parents oseront pas laisser deux enfants blessés avec ma grand-mère, parce que ses nerfs sont pas très solides ces temps-ci. Alors ils pourront pas aller au chalet non plus et ils ont déjà versé un acompte. Ça coûte de l'argent, ça, comme dit toujours mon père.

Lisa dévisage Véronique; elle n'en croit pas ses oreilles. Est-ce qu'il lui arrive d'arrêter de parler?

— Mon père est agent d'assurances. Il va chez

les gens et leur dit qu'ils doivent payer au cas où quelque chose de grave leur arriverait, comme se couper une main ou passer au feu. Qu'est-ce qu'il fait, ton père ? Hé ! réponds-moi ! Ta mère ne t'a pas montré à être polie ?

Les deux petites arrêtent de se balancer et Véronique tourne sa balançoire pour faire face à Lisa.

— Qu'est-ce qu'il fait, ton père ?

— Je sais pas, murmure Lisa.

— Hein ? Tu sais pas où ton père travaille ? Oh ! tes parents sont divorcés ?

— Non.

Lisa a déjà vu une émission de télé sur le divorce et elle pense bien savoir ce que ça veut dire.

— Je sais pas, c'est tout.

— Est-ce qu'il porte une cravate quand il va travailler ? Est-ce qu'il apporte son lunch dans un sac en papier ?

— Non. Il va dans la grange.

— Dans la grange ? Ton père est fermier ? Vous avez des vaches, des poulets, des cochons et tout ? *Wow !* Est-ce que je peux aller visiter ?

— Non. On n'a pas de ferme. On a seulement une grange où mon père passe ses journées.

— Mais qu'est-ce qu'il fait dans la grange toute la journée ?

— Je sais pas, répète Lisa qui n'aime pas parler de ces choses-là.

Elle descend de la balançoire et se met à marcher dans la cour de l'école. Véronique la rejoint et tourne autour d'elle en sautillant.

— Pourquoi tu sais pas ? Tu vas pas le voir quand il travaille ? Est-ce qu'il t'emmène avec lui ?

— Non. Il faut qu'il soit tranquille.

— Mais pourquoi ? T'es jamais allée voir en cachette ?

— Non, répond Lisa que cette seule pensée effraie. Non.

— Eh bien, moi, je le ferais ! Je vais aller chez toi et on ira voir ensemble.

— Oh non !

— Pourquoi pas ? Tu veux donc pas savoir ce que ton père fait dans la grange ?

Lisa réfléchit. Non, elle ne veut pas le savoir. Elle sait qu'elle doit rester tranquille et qu'elle est en sécurité avec sa mère quand son père travaille. Quand il est dans la grange, il ne lui crie pas après et ne lui dit pas qu'elle fait du bruit.

— Non, répète Lisa.

— Mais pourquoi tu veux pas ? Est-ce qu'il te battrait ? Ou alors il t'enverrait au lit sans souper ?

— Mon père me bat pas.

C'est la vérité. Il l'engueule et lui a coupé une tresse, mais il ne l'a jamais frappée.

— Tu en parles à ta mère et je demanderai à la mienne si je peux aller chez toi demain après l'école, dit Véronique.

Lisa n'a pas pu protester, car Véronique s'éloigne en courant.

Elle n'a pas demandé la permission à sa mère.

Elle n'a jamais emmené d'ami à la maison.

En fait, elle n'a pas d'amis.

Et c'est impensable que cette petite rousse bruyante qui pose trop de questions devienne son amie.

Le lendemain, quand Lisa monte dans l'autobus pour rentrer chez elle, Véronique est là.

Quand Lisa descend, Véronique la suit.

— Ma mère a dit que c'était d'accord, déclare-t-elle d'un ton joyeux.

Lisa la regarde fixement, démontée. Qu'est-ce qui va se passer ? Qu'est-ce qu'elle va faire de cette fille ? Elle va avoir des ennuis. C'est certain.

— Je pense pas que c'est une bonne idée de venir aujourd'hui, dit-elle calmement.

— Et moi, qu'est-ce que je vais faire ? L'autobus est parti. Faut que j'aille chez toi. Viens.

Lisa n'a pas le choix. Elle marche lentement sur le chemin qui mène à sa maison, tandis que Véronique court dans tous les sens pour admirer les fleurs, les pierres et les oiseaux.

— C'est là ? demande Véronique alors qu'elles approchent de la maison blanche entourée de grandes fleurs roses. *Wow !* C'est une belle maison, mais c'est pas une ferme.

— Non.

— Ça fait rien. Où est la grange ?

— On peut pas y aller.

— Je sais, mais où est-elle ?

Lisa ne répond pas. Elle ouvre la porte et entre

dans la cuisine en souhaitant que Véronique se taise un peu.

— Lisa, c'est toi ? crie sa mère.

— Oui.

— Avec moi ! s'écrie Véronique.

Lisa tressaille.

Les pas de sa mère s'approchent rapidement.

— Bonjour, dit Véronique en souriant. Je m'appelle Véronique. Ma mère a dit que je pouvais venir chez vous. Si vous voulez qu'elle vienne me chercher, voilà notre numéro de téléphone.

Véronique retire un bout de papier de sa poche et le donne à la mère de Lisa.

— Si vous préférez me reconduire chez moi, ça ira aussi. Elle a inscrit notre adresse sur le papier. C'est très joli, chez vous. Est-ce que je peux avoir quelque chose à boire ? Un verre d'eau, s'il vous plaît. Je veux pas vous déranger.

Étonnée, la mère de Lisa la regarde faire le tour de la cuisine.

— Lisa, pourquoi tu ne m'as pas dit que tu emmenais une amie à la maison aujourd'hui ? demande sa mère.

— Je savais pas, chuchote-t-elle.

— Je me suis un peu invitée, dit Véronique gaiement. Ma mère dit que je suis très fonceuse. Elle dit que j'irai loin dans la vie et que le monde a pas fini d'entendre parler de Véronique Marsan.

La mère de Lisa la dévisage, ébahie.

— Est-ce qu'on pourrait aller dans la cour, Lisa

et moi ? Ça a l'air très beau. Chez nous, les balançoires et le carré de sable de mon petit frère prennent toute la place.

— Mon mari travaille et il a besoin de silence, répond la mère de Lisa avec hésitation. Vous pourriez peut-être monter dans la chambre de Lisa.

— On fera pas de bruit, dit Véronique dans un murmure. Personne saura qu'on est là.

— D'accord, mais seulement pour quelques minutes.

Sa mère sort dans la cour et Lisa suit Véronique qui marche sur la pointe des pieds. Elle s'informe en chuchotant du nom des fleurs et des arbres. La mère de Lisa lui répond à voix basse. Lisa remarque que Véronique lorgne du côté de la petite grange rouge à l'extrémité de la cour.

Véronique finit par s'asseoir au pied du gros orme en lui faisant signe de s'asseoir aussi.

— Si vous avez des choses à faire, allez-y. On va rester assises ici sans faire de bruit et regarder le ciel.

— Je vais aller préparer le souper. Je reviens dans quelques minutes.

Son regard se pose sur la grange, puis sur les filles. Lisa sait à quel point c'est important pour sa mère que le souper soit prêt quand son père rentre. Il n'aime pas attendre.

Dès que la mère de Lisa disparaît, Véronique se lève.

— Viens, dit-elle en prenant la main de Lisa.

— Où ?

— Voir la grange, dit-elle en oubliant de chuchoter.

Elle pose sa main sur sa bouche.

— Voir la grange, murmure-t-elle ensuite. Allons-y avant que ta mère revienne.

— Non.

— Alors j'y vais toute seule, annonce Véronique.

Lisa ne sait pas pourquoi, mais ça lui paraît encore plus dangereux. À contrecœur, elle suit Véronique, qui traverse la cour. La fenêtre de la cuisine ne donne pas de ce côté. Lisa le regrette presque ; sa mère arrêterait Véronique si elle la voyait.

Quand elles arrivent tout près de la grange, Véronique se met à marcher sur la pointe des pieds. Le cœur de Lisa bat la chamade. Elle s'attend à voir son père sortir de la grange en rugissant et en les engueulant. Véronique et Lisa contournent la grange ; la mère de Lisa ne peut plus les voir de la maison. À mi-hauteur dans le mur, il y a une petite fenêtre sale et trop haute pour que Véronique puisse regarder dans la grange. Lisa pousse un soupir de soulagement. Elles pourront maintenant retourner sous l'arbre.

— Lisa, soulève-moi, souffle Véronique.

Comment ose-t-elle parler ? Comment peut-elle faire tant de bruit si près de la grange ? Lisa secoue la tête énergiquement.

— Lisa, tu veux donc pas savoir ? Soulève-moi.

Il me manque seulement quelques centimètres. Je sais ! Mets-toi à genoux et je vais monter sur ton dos.

Elle parle trop fort. Le père de Lisa va l'entendre. Lisa commence à se sentir mal. Véronique appuie sur son épaule avec impatience. Lisa s'agenouille et pose les mains par terre. Elle sent Véronique grimper sur son dos, se lever et se hisser sur la pointe des pieds.

Puis elle l'entend inspirer brusquement.

Véronique saute par terre et se met à courir.

Chapitre 2

Qu'est-ce que Véronique a vu dans la grange? Même si Lisa est terrifiée à l'idée que son père les entende, elle veut savoir. Elle veut regarder par la fenêtre.

Elle suit Véronique, qui court jusque sous l'arbre et se jette par terre.

— Qu'est-ce que t'as vu? demande Lisa.

— Chuttt!

— C'était si terrible?

Son père est peut-être vraiment un médecin, après tout, et il y a peut-être des corps et du sang partout dans la grange.

— Je peux pas t'expliquer, répond Véronique. Je sais pas comment t'expliquer.

— Faut que je voie aussi, alors.

Lisa ignore d'où lui vient tout ce courage. Elle ne sait pas ce qui la pousse à traverser la cour de nouveau et à risquer d'être surprise par son père. Elle n'a jamais cherché à savoir, avant. Mais c'était avant Véronique. Maintenant, Véronique sait. Ça ne lui semble pas juste.

— Ta mère va sortir bientôt, dit Véronique en regardant vers la maison.

Lisa sait que Véronique a raison, mais elle a besoin de savoir.

— Viens, dit-elle en traversant la cour.

Véronique la suit sans enthousiasme. Une fois devant la fenêtre, elle s'agenouille. Lisa grimpe sur son dos maigre, appuie ses mains contre la grange pour ne pas tomber et se lève prudemment.

Elle aperçoit son père. Elle perd presque l'équilibre en le voyant de si près. Par chance, il lui tourne le dos.

Son père peint une immense toile. Lisa n'en a jamais vu d'aussi grande. La toile lui paraît aussi grande que le mur de sa chambre. Son père la barbouille de peinture avec un pinceau.

C'est la toile elle-même qui fait peur. On y voit de grandes barres obliques rouges, orange et vertes ; mais surtout rouges. Ça ne ressemble pas aux illustrations d'un livre ni aux cadres que Lisa a déjà vus. Il n'y a pas de fleurs, ni d'arbres, ni de maisons, ni de gens ; mais seulement des traits en zigzag, comme si la foudre avait frappé la toile de son père.

Lisa y perçoit de la colère. La toile lui rappelle le jour où son père lui a coupé une tresse. Elle évoque sa voix grave quand il criait.

Lisa descend du dos de Véronique et se met à courir aussi. Véronique la suit et elles ne s'arrêtent qu'une fois sous l'arbre ; elles se jettent par terre sur le dos, haletantes.

— T'as vu ça ? demande enfin Véronique quand elles ont repris leur souffle.

— Oui.

— Qu'est-ce que c'est, d'après toi ?

— Je sais pas, répond Lisa qui n'a aucune envie de parler de ses cheveux ou des colères de son père.

— Je suppose que ton père est un artiste, dit Véronique.

Elle a prononcé ce mot comme si le fait d'être un artiste était quelque chose d'extraordinaire ; comme être premier ministre, par exemple.

— Je suppose.

Son père est un artiste. Elle se fait tranquillement à cette idée. Il peint des toiles. D'immenses toiles. D'immenses toiles rouges.

— C'est *cool*, dit Véronique avec un peu d'hésitation dans la voix.

— Les artistes ont besoin de calme.

— Ah ! fait Véronique.

Puis elle demeure silencieuse durant une minute.

— Heureusement que mon père est pas un artiste, finit-elle par déclarer. Mon petit frère braille tout le temps et il y a toujours plein d'enfants dans notre cour. On fait beaucoup de bruit. Si mon père était un artiste, il réussirait même pas à peindre une toute petite toile ; encore moins une grande comme celle que ton père fait. Une chance qu'il est agent d'assurances !

À cet instant, la mère de Lisa sort de la maison et vient vers elles.

— Je pense pas qu'on devrait lui dire qu'on a regardé par la fenêtre, s'empresse de chuchoter Lisa.

— O.K.

La mère de Lisa ramène les filles dans la cuisine, où elles préparent toutes les trois des biscuits aux brisures de chocolat.

Lisa se souvient de leur odeur. Elle se rappelle aussi que Véronique en a mangé une vingtaine. Sa mère en a mis quelques-uns dans un sac que Véronique a apporté chez elle. Lisa se rappelle aussi qu'elles ont reconduit Véronique chez elle avant le souper. Lisa aurait aimé que Véronique reste à souper ; mais d'un autre côté, elle voulait que son amie s'en aille avant que son père rentre. Son père, l'artiste.

Le souvenir de cette journée est très clair dans la mémoire de Lisa. Peut-être que c'est parce que Véronique n'est jamais revenue. Lisa ne sait pas trop pourquoi.

Elle avait peut-être eu peur des toiles de son père.

Ou peut-être qu'elle savait qu'elle ne pourrait jamais être assez silencieuse pour aller chez Lisa.

Il s'est écoulé plusieurs années avant que quelqu'un d'autre ne vienne chez Lisa.

Et c'est une journée qu'elle n'oubliera jamais.

Chapitre 3

Les pas. Où sont les pas ? Lisa prête l'oreille, mais elle n'entend rien. Peut-être qu'ils sont partis. Peut-être que le cauchemar est terminé. Peut-être qu'elle n'a plus rien à craindre.

Ou peut-être que c'est un piège. On cherche peut-être à lui faire croire qu'elle est seule pour l'inciter à sortir.

Elle n'est pas en sécurité. Elle ne le sera jamais. Pourquoi se raconte-t-elle des histoires ?

Jacquot s'agite dans sa main, comme s'il rêvait. Combien de temps encore va-t-il rester tranquille ? Malgré tout, ça n'inquiète pas trop Lisa. On la trouvera de toute façon.

Elle ne veut plus songer à ce qui l'attend. Elle préfère retourner dans le passé, dans ses souvenirs.

Où en est-elle ? Véronique, se rappelle-t-elle. Qu'est-ce qui vient ensuite dans la chaîne de ses souvenirs ? Quel est le maillon suivant ?

Elle se souvient que, pendant longtemps, elle a fait semblant de ne pas savoir que son père était un artiste. Elle n'est jamais retournée regarder par la fenêtre de la grange. Elle ne voulait pas revoir la toile.

Ce n'est que plusieurs années plus tard que Lisa et sa mère ont parlé du travail de son père. Elle s'en souvient, car c'est un des rares moments heureux.

Lisa et sa mère sont dans la cuisine et attendent que le père de Lisa rentre pour souper. Le téléphone sonne. Lisa comprend qu'il doit s'agir d'une bonne nouvelle, car sa mère n'arrête pas de dire :

— C'est merveilleux ! Je suis certaine qu'il sera content d'entendre ça.

Son père entre dans la cuisine quelques minutes plus tard et sa mère se jette dans ses bras. Elle lui murmure quelque chose à l'oreille et Lisa voit son père soulever sa mère et danser dans la cuisine. Lisa regarde la scène avec étonnement. Elle n'a jamais vu ses parents se conduire comme ça. Son père rit. Lisa croit l'entendre rire pour la première fois. Elle remarque que sa mère paraît toute petite à côté de lui. Sa mère enlace son père et lui répète qu'elle savait que ça arriverait un jour.

Qu'est-ce qui arriverait un jour ? Lisa a envie de savoir, mais elle reste silencieuse. Ses parents ont oublié qu'elle est là. Lisa finit par monter dans sa chambre. Beaucoup plus tard, sa mère la rejoint, souriante.

— Je m'excuse, Lisa, mais ton père et moi, on a

célébré et j'ai oublié le souper. Viens. On va manger dans quelques minutes.

Lisa descend. La cuisine est vide.

— Où est-il ?

— Il est retourné dans la grange. Il travaillera probablement toute la nuit.

— Pourquoi ? demande-t-elle en rassemblant son courage. Qu'est-ce qu'il fait ?

— Tu n'en as aucune idée, hein ? dit sa mère en la regardant. Tu ne comprends rien à tout ça ?

— Non.

— Ton père peint de magnifiques tableaux, explique sa mère en tournoyant dans la cuisine. Il attend depuis longtemps le jour où il deviendra célèbre.

Lisa n'est pas certaine d'avoir saisi, mais elle laisse sa mère continuer.

— Aujourd'hui, l'une des plus importantes galeries d'art contemporain de Toronto a décidé d'exposer ses toiles. Ça y est, Lisa. C'est le coup de pouce dont il avait besoin.

— Alors il faut qu'il retourne dans la grange ?

— Il doit finir deux tableaux et les envoyer à Toronto la semaine prochaine. Il faudra qu'il travaille presque jour et nuit. Mais ça vaut la peine, Lisa. Tout va changer, maintenant.

— Est-ce que ça va le rendre heureux ?

Peut-être qu'il rirait encore. Peut-être même qu'il passerait du temps avec elle.

Sa mère lui adresse un regard à la fois triste et joyeux.

— Oui, Lisa. J'espère que ça va le rendre heureux.

— C'est difficile d'être un artiste ?

C'est peut-être pour ça qu'il a toujours l'air furieux contre elle.

— Oui, je pense que ça l'est. Certains jours, il n'y a rien qui marche. Parfois, il se demande si les gens vont aimer ce qu'il fait.

Lisa se souvient de la toile aux traits rouges, orange et verts. Est-ce que les gens allaient aimer ça ? Ou est-ce qu'ils auraient peur, comme elle ?

Tout à coup, Lisa regarde autour d'elle dans la cuisine et songe au reste de la maison.

— Pourquoi on a aucun de ses tableaux dans la maison ? demande-t-elle.

— Ton père dit qu'il ne peut pas supporter d'avoir ses erreurs sous les yeux, répond sa mère en secouant la tête. Il veut que tout soit parfait ; si une chose n'est pas parfaite, il la déteste.

L'idée lui vient tout d'un coup : peut-être qu'elle n'est pas parfaite et que c'est pour ça que son père la déteste.

Il a souvent l'air fâché contre elle, mais elle s'est toujours imaginé que c'est parce qu'elle faisait trop de bruit.

À l'avenir, il faudra qu'elle soit parfaite ; sinon, son père la détestera. Mais qu'est-ce qu'elle pourrait bien faire pour que son père l'aime ?

— Souris, Lisa, lui dit sa mère en la serrant fort dans ses bras. On ira à Toronto pour l'exposition et tout le monde sera épaté par le travail de ton père. On va devenir riches.

— Et on vivra heureux jusqu'à la fin des temps, comme dans les livres?

— Et on vivra heureux jusqu'à la fin des temps, répond sa mère. Fais-moi confiance, Lisa. Tout ira bien, maintenant.

Mais sa mère se trompe.

Quelques jours plus tard, elle entend ses parents se disputer dans leur chambre, un soir.

— Je ne l'emmène pas à Toronto.

— Laisse-la venir avec nous, dit sa mère. De toute façon, où veux-tu qu'on la fasse garder? On n'a pas de famille ni d'amis dans le coin.

— Je me fous de savoir où tu vas la faire garder. Je ne veux pas avoir d'enfant dans les jambes, c'est tout.

— Tu n'as pas à t'inquiéter, dit sa mère pour le rassurer. Je vais m'occuper d'elle. C'est une enfant très sage. Tu ne t'apercevras même pas qu'elle est là.

Ce soir-là, Lisa s'endort en pleurant. Elle se demande si ses parents vont la laisser à la maison toute seule. D'une certaine façon, elle le souhaite presque. Elle pourrait faire la cuisine et entretenir la maison. Elle n'aurait pas à s'inquiéter d'être parfaite.

Finalement, ses parents décident de l'emmener à Toronto. Son père gueule pendant tout le trajet en voiture.

— Il est seulement un peu nerveux, chuchote la

mère de Lisa après un épisode particulièrement pénible. C'est l'exposition qui l'énerve.

Lisa fait signe que oui, mais elle ne dit rien.

Ses parents et elle occupent deux grandes chambres voisines à l'hôtel. Lisa n'est jamais allée à l'hôtel. Elle est à la fois effrayée et excitée par la vue qu'elle a au vingtième étage. La fenêtre donne sur des rues animées où grouillent des taxis, des voitures, des bicyclettes et des gens. Elle n'a jamais rien vu de pareil. Sa mère l'aide à défaire ses bagages et à s'installer, courant d'une chambre à l'autre.

Le soir, ils se préparent tous les trois pour aller au vernissage. La mère de Lisa s'assure que sa fille a mis sa robe bleu marine toute neuve, puis elle se précipite dans l'autre chambre. Lisa a le souffle coupé quand ses parents la rejoignent quelques minutes plus tard. Sa mère est splendide dans sa robe noire à paillettes qui brillent autour de son cou et de ses poignets. Avec ses cheveux relevés en chignon, elle a l'air d'une vedette de cinéma. Quant à son père, Lisa ne l'a jamais vu aussi élégant.

Il porte un chandail en tricot noir, un pantalon noir et un veston dans les tons de gris, de noir et de bleu. Il a brossé ses épais cheveux gris vers l'arrière. Lisa ne sait pas trop à quoi est censé ressembler un artiste, mais à son avis, il a la tête de l'emploi.

Ils prennent un taxi jusqu'à la galerie d'art; Lisa a un peu peur, car le chauffeur n'arrête pas de sacrer et de donner des coups de volant. Sa mère rit et lui tient la main.

La galerie d'art est divisée en de nombreuses salles aux murs blancs et hauts éclairés par des lumières encastrées dans le plafond. Il y a des tableaux de son père partout. Lisa aperçoit celui que son père peignait le jour où Véronique et elle ont regardé par la fenêtre. Il remplit presque tout un mur. Plein de gens se tiennent devant, les yeux levés. Les murs sont couverts de toiles aux grands traits noirs, verts, orange, violets et rouges, surtout. Il y a du rouge partout.

Bon nombre de visiteurs ont un verre à la main; ils portent des vêtements aux couleurs vives ou sont entièrement habillés de noir. Ils bavardent, rient et utilisent des termes que Lisa ne comprend pas: néo-impressionnisme, viscéral. Au bout d'un moment, les mots tourbillonnent autour d'elle, tout comme les couleurs.

Son père serre des mains, boit son cocktail et sourit. D'après son expression, les gens le complimentent sur ses tableaux.

Lisa se demande si ces personnes vont acheter les toiles de son père et les accrocher aux murs de leur maison. Est-il possible de vivre entouré de tout ce rouge?

Le soir, sa mère vient la border, puis elle se dirige vers la chambre voisine.

— Ton père ne pourra pas dormir. Il a besoin de moi pour lui tenir compagnie, répond-elle à Lisa quand celle-ci lui demande de rester avec elle.

Dès que la porte se referme derrière sa mère, Lisa

va à la fenêtre et regarde en bas. Même s'il est tard, il y a encore des gens, des lumières et de l'activité dans les rues. Les gens ne dorment donc jamais, ici ?

Elle contemple les rues pendant des heures et finit par s'endormir, la tête sur l'appui de fenêtre d'une chambre d'hôtel de Toronto.

Chapitre 4

Jacquot se réveille en sursaut. Lisa tend l'oreille pour savoir ce qu'il a entendu. Il n'y a aucun bruit de pas. On n'entend que les bruits normaux de la forêt : le cri des oiseaux au loin, le bruit des écureuils qui se sauvent.

Jacquot réussit à sortir de sa main et écarte les feuilles avec son bec. Lisa comprend son désarroi. Qu'est-ce qu'ils font là, par terre, sous les feuilles ? Jacquot trotte sur l'épaule de Lisa ; puis celle-ci sent les griffes de l'oiseau s'accrocher à son chandail tandis qu'il descend sur le sol.

« Ne me laisse pas, Jacquot, dit-elle intérieurement. Ne me laisse pas, toi aussi. Je ne veux pas mourir seule. »

Elle le laisserait partir si elle pensait qu'il a la moindre chance de survivre. Mais il n'est qu'un pauvre petit oiseau tropical aux ailes coupées. Le premier chat, renard ou faucon qui l'apercevra n'en fera qu'une bouchée. Et s'il ne se fait pas tuer, il mourra de froid.

Pauvre Jacquot! Il a déjà dû sentir le froid par terre, car le voilà qui remonte. Il revient se blottir dans la main de Lisa, contre sa gorge. Pourtant, il n'est pas satisfait. Il émet une plainte qui ressemble à un grondement sourd. C'est le bruit qu'il fait quand Lisa le nourrit tard le matin.

Il a probablement faim. Lisa constate qu'elle a faim aussi. Mais qu'est-ce que ça peut bien faire? Elle va mourir de toute façon; peu importe qu'elle ait le ventre plein ou vide.

Ce qui compte, c'est de savoir pourquoi elle va mourir. Elle ne veut pas que sa mort soit un crime commis au hasard, dénué de sens, impersonnel.

Ce n'est pas sans raison qu'elle est sur le point d'être tuée. Le temps est venu de replonger dans ses souvenirs.

Qu'est-ce qui vient après le vernissage à Toronto? Leur vie change après ça. Du moins, sur certains points. La mère de Lisa lui explique que les critiques ont été excellentes et que les acheteurs se disputent les tableaux de son père. Tout ce que ça veut dire pour Lisa, c'est que son père passe de plus en plus de temps dans la grange et qu'ils ont de plus en plus d'argent. Lisa et sa mère vont magasiner plus souvent et elles achètent de magnifiques livres d'images reliés.

À part ça, rien n'est très différent. Comme avant, le père de Lisa rentre parfois de la grange de très mauvaise humeur, tandis que Lisa passe beaucoup de temps dans sa chambre. Mais ça ne la dérange pas, car sa mère lui a acheté un superbe lit à baldaquin blanc. Lisa pense que c'est le plus beau lit du monde et elle y reste couchée des heures en rêvant d'un monde où les humains peuvent voler et vivre dans les arbres et les nuages.

Félix. Non. Pas de souvenirs de Félix. Il ne fait pas partie de cette vie-là. Elle l'a rencontré il y a deux mois à peine. Elle n'est pas rendue là. Pas encore. Pas Félix.

Pourtant, elle ne peut penser qu'à lui en ce moment. Elle avait cru que ce garçon aux tire-bouchons blonds et au sourire un peu idiot ne lui reparlerait plus jamais. Après tout, elle lui avait dit de la laisser tranquille et elle ne s'était jamais retournée pour lui parler pendant le cours de français.

Pourtant, il ne lâchait pas. Lisa ne sait pas pourquoi il n'était pas indifférent comme tout le monde. Elle ne lui a jamais posé la question.

Un jour, pendant le cours de français, elle rêvasse en écoutant le professeur d'une oreille distraite. Elle est assise à son bureau et elle dessine tandis que la discussion va bon train autour d'elle. Avec un crayon à mine bien taillé et un petit bout de papier, elle reproduit le monde qu'elle invente quand elle rêve dans son lit. Elle dessine des arbres minuscules dans lesquels se cachent des oiseaux, et de toutes petites maisons d'où surgissent des lapins et des écureuils. Des fleurs poussent dans toutes les fissures, tandis que des fées et des lutins apparaissent dans les moindres recoins. Lisa s'est donné comme défi de les rendre presque imperceptibles. Ses créatures doivent se fondre complètement dans leur monde, de sorte qu'au premier, deuxième ou troisième coup d'œil, personne ne puisse les repérer. Seul un observateur attentif saurait les trouver.

Lisa dessine depuis des années, mais personne n'a encore découvert les fées.

Il faut dire que nul n'a vu ses dessins...

Sauf une personne.

C'est arrivé par erreur. Par un bel après-midi d'été, Lisa dessine dans sa chambre pour passer le temps lorsque sa mère l'appelle. Elle insère sa feuille entre deux pages d'un livre et descend, livre à la main. Sa mère lui demande de l'aider à désherber les plates-bandes. Lisa laisse son livre sur la table de la cuisine. Elle aime bien jardiner ; sa mère lui apprend le nom des fleurs. Lisa observe toujours les fleurs très attentivement ; elle essaie de mémoriser la disposition des pétales afin de les dessiner plus tard.

Parfois, elle songe à montrer ses dessins à sa mère, mais elle ne se décide jamais. Sa mère trouve les toiles de son père magnifiques, mais avec leurs énormes traits aux couleurs vives, elles sont à l'opposé des minuscules dessins que Lisa trace au crayon. Et ils ne sont pas parfaits. Parfois, les fées sont trop visibles ou les fleurs ne sont pas tout à fait comme elles le devraient. Ou alors les lapins ont les yeux trop grands ou le cou trop long. Lisa n'efface jamais. Si son dessin n'est pas parfait, elle le déchire et recommence.

Lisa et sa mère s'affairent toujours à sarcler les plates-bandes quand son père sort de la grange comme un ouragan.

— Je suis désolée, chéri. Est-ce qu'on t'a dérangé ? lui demande sa mère.

— Je ne pourrai jamais respecter l'échéance pour cette commande-là, crie son père en claquant la porte de la maison. J'ai faim.

À regret, Lisa suit sa mère et entre dans la maison.

Son père est assis à la table de la cuisine, la tête entre les mains. Sa mère s'active immédiatement, allant du réfrigérateur au comptoir, et sort les ingrédients pour préparer une salade. Lisa ne sait pas si elle doit l'aider ou monter dans sa chambre. Sa mère résout la question en lui demandant de mettre la table. Elle tend les assiettes à Lisa, qui les pose sur la table avec précaution en plaçant celle de son père au centre pour ne pas le déranger. Avec un soupir, il lève la tête et, d'un grand geste du bras, jette le livre de Lisa par terre. Lisa se penche tout de suite pour le ramasser, mais son père est plus rapide. Le dessin de Lisa a glissé sur le plancher.

En le voyant là, sur le plancher à carreaux blancs et noirs, Lisa a l'impression que c'est une partie d'elle-même qui est subitement dénudée. Elle éprouve le besoin impérieux de sauver son dessin, de le cacher.

Son père s'empare de la feuille. Il scrute les

traits fins et soignés de son dessin, puis demande en grognant :

— Qu'est-ce que c'est que ce barbouillage ? Quelqu'un ici lit trop de contes de fées.

Il fait une boulette de la feuille et la lance à l'autre bout de la cuisine.

Lisa ne dit pas un mot. Elle traverse la pièce, ramasse la boulette de papier et la jette dans la poubelle sous l'évier. Puis elle finit de mettre la table.

Après cet incident, elle reste longtemps sans dessiner. Puis elle finit par s'y remettre, rien que pour chasser l'ennui pendant les cours. Elle ne garde jamais ses dessins. Dès que la feuille de papier est noircie de petites créatures, elle la froisse et la jette.

Du moins, c'était ainsi jusqu'à ce que Félix s'en mêle.

Lisa a presque terminé son dessin quand une main se pose sur son épaule.

— Qu'est-ce que c'est ? demande Félix dont la voix se perd dans la discussion animée qui se déroule en classe. Qu'est-ce que tu dessines ?

— Rien, répond Lisa en cachant sa feuille avec son bras.

— Non, laisse-moi regarder, insiste Félix. Ça a l'air beau. S'il te plaît, Lisa. Laisse-moi regarder.

— Non.

— Juste une minute.

Il réussit à attraper le coin de la feuille.

Avant qu'elle puisse l'en empêcher, il s'empare de la feuille. Lisa sent la colère monter en elle. Il n'a pas le droit !

Félix est silencieux derrière elle. Peut-être qu'il la laissera tranquille en voyant à quel point son dessin est stupide. Elle pourra alors jeter sa feuille à la poubelle.

— *Wow* ! Lisa ! C'est superbeau !

Félix se penche pour lui souffler quelque chose à l'oreille, mais elle sursaute et s'avance.

— J'ai trouvé six fées jusqu'à maintenant. Y en a d'autres ?

Il les a trouvées ? Comment ? Elle pensait les avoir cachées mieux que ça.

— Comment tu fais ? Elles sont tellement petites. Chaque fois que je regarde ton dessin, je trouve autre chose. Je peux le garder ? En as-tu d'autres comme ça ? Tu devrais les vendre. Qui t'a appris à dessiner comme ça ?

Elle est sauvée par le professeur.

— Félix, est-ce qu'on te dérange ?

— Non, monsieur. C'est juste que…

Pendant quelques secondes, Lisa pense que son cœur va s'arrêter de battre. Est-ce qu'il va montrer son dessin au prof ? Ou à toute la classe ? Non. Elle essaie de faire de la télépathie. Non, Félix. Non. Non.

— En fait, je parlais tout seul, dit Félix.

Tout le monde éclate de rire. Les élèves sont habitués aux extravagances de Félix.

Pourtant, quand Félix pose une question, tous les élèves se taisent, impatients d'entendre sa dernière trouvaille.

— Quand j'aurai compris ce que j'essaie de me dire, je vous ferai signe, ajoute Félix en riant.

— Je n'en doute pas, dit le professeur en souriant.

Lisa reste figée pendant le reste du cours. Quand la cloche sonne, Félix pose la main sur son épaule.

— Je m'excuse d'avoir pris ton dessin, dit-il quand elle se retourne. Mais je le trouvais tellement beau que je voulais le voir de plus près. T'as beaucoup de talent, Lisa.

En guise de réponse, Lisa prend son dessin et en fait une boulette qu'elle jette dans la poubelle en sortant de la classe.

— Lisa ! Attends !

Elle entend la voix de Félix derrière elle.

Mais quand il atteint la porte, elle s'est déjà mêlée à la foule dans le couloir.

Chapitre 5

Félix ne renonce pas. Lisa ne sait pas pourquoi. Il est le seul qui s'intéresse à elle. Tous les autres abandonnent devant son silence, mais pas Félix.

Quand Lisa arrive au cours de français le lendemain, elle s'assoit rapidement et se plonge dans un livre. Elle ne peut plus courir le risque de dessiner. Tout à coup, elle remarque que les élèves rient. Elle ne lève pas les yeux et se dit que leur bonne humeur n'a rien à voir avec elle.

Puis Félix s'amène. Même Lisa ne peut pas faire semblant de ne pas le voir. Il s'agenouille à côté de sa chaise et lui sourit, le regard suppliant. Ses cheveux tombent devant ses yeux et il flotte dans son tee-shirt trop grand.

Mais le pire, c'est qu'il tient un énorme bouquet de fleurs. Pas le genre de fleurs qu'on achète chez le fleuriste. Non. En fait, il s'agit plutôt de branches d'arbustes et de longues herbes. Malgré tout, son bouquet de fleurs sauvages est une véritable explosion de couleurs. Et c'est à elle que Félix le tend.

— Tu me pardonnes, Lisa ? demande Félix d'un ton théâtral et assez fort pour que tout le monde l'entende.

Lisa voudrait disparaître sous son bureau. Elle voudrait se volatiliser. Elle voudrait mourir. Tout ce qu'elle a toujours voulu, c'est rester anonyme. Et voilà que l'attention de toute la classe se porte sur elle. Lisa sent son visage s'enflammer et son cœur battre plus fort.

— Lisa, je ne me lèverai pas tant que tu ne m'auras pas dit que tu me pardonnes.

— Qu'est-ce que tu lui as fait ? demande une voix.

— Ça doit être grave, ajoute quelqu'un d'autre.

— Si elle les veut pas, je les prendrai, moi, les fleurs, dit une fille à Félix d'un ton enjôleur.

— Lisa, j'aimerais bien que tu acceptes les excuses de Félix pour que je puisse commencer le cours, dit le professeur d'un ton amusé.

Tout ce que Lisa veut, c'est que ça finisse.

— O.K., Félix, dit-elle doucement.

— Elle me pardonne ! hurle Félix en sautant dans les airs.

Les fleurs tombent partout et il s'accroupit pour les ramasser. Il les dépose pêle-mêle sur le bureau de Lisa. Elle se cache derrière le bouquet et n'ose même plus respirer.

Le cours commence et les battements de son cœur finissent par ralentir.

— Je m'excuse vraiment à propos d'hier, chuchote Félix qui s'est penché en avant.

— C'est pas grave, dit-elle en espérant mettre un terme à la conversation.

— Oui, ça l'est. J'ai violé ton intimité. C'est pas parce que, moi, j'ai pas de vie privée, que je dois pas respecter la tienne.

« Et il s'imagine qu'il respecte ma vie privée en me faisant de grandes déclarations devant toute la classe ? »

— Tiens. J'ai un cadeau pour toi.

Il lui tend quelque chose par-dessus l'épaule, mais Lisa ne bouge pas.

— Les fleurs, c'est bien assez.

— Oh ! c'était rien que pour rire ! Tiens. Prends ça.

À contrecœur, elle tend la main derrière. Félix lui remet une enveloppe.

— Ouvre-la, murmure-t-il.

— Pas tout de suite.

— Oui, tout de suite, insiste Félix. Sinon, je croirai pas que tu me pardonnes.

Lentement, en s'efforçant de ne pas faire de bruit, elle décolle l'enveloppe et retire la carte qui s'y trouve. Une pluie de minuscules étoiles argentées tombe en cascade. Elle entend un rire étouffé derrière elle. De tout petits points de lumière scintillent maintenant sur le tas de branches et de fleurs posé sur son bureau. Lisa ramasse quelques étoiles et les serre dans sa main.

— Ouvre la carte, dit la voix derrière elle.

Un château apparaît sur la carte. Des tours s'élèvent des murs de pierre et des nuages enveloppent le bas du château, donnant l'impression qu'il flotte. Une citation de Henry David Thoreau est écrite à l'intérieur: *Si tu as construit des châteaux dans les nuages, ton travail n'est pas perdu ; c'est là qu'ils doivent être. Maintenant, il te reste à faire les fondations.*

Lisa a déjà lu cette citation quelque part et elle l'a trouvée très belle. Comment Félix a-t-il pu deviner?

Un peu plus bas, Félix a écrit en petites lettres:

Princesse Lisa,

Je m'excuse d'être entré dans ton royaume sans invitation. Un jour, peut-être, tu feras descendre le pont-levis, tu rappelleras tes dragons et tu descendras de ta tour.

Félix

Elle se retourne pour regarder Félix, les larmes aux yeux.

Chapitre 6

— Je m'excuse, je m'excuse, souffle-t-il. Je voulais que tu te sentes mieux, mais je te fais pleurer.

— C'est rien, dit Lisa en détournant la tête.

Elle ne veut pas lui parler. Elle ne veut pas lui dire que sa gentillesse lui est presque insupportable.

Heureusement, le professeur a préparé un examen-surprise, ce qui oblige Lisa à se ressaisir.

C'est impossible. Félix ne peut pas savoir. Personne ne peut savoir. Ça fait partie du prix qu'elle doit payer. Ça n'a jamais été difficile avant. C'est si facile pour Lisa de se couper du reste du monde, qu'elle n'a jamais été tentée d'avouer son secret à qui que ce soit.

Qui est donc Félix ? Pourquoi fait-il tout ça ? Pourquoi ne se contente-t-il pas de toutes ces filles heureuses et normales qui lui tournent autour ? Pourquoi cherche-t-il à entrer dans sa vie ?

Il ne peut pas faire ça. Elle ne le laissera pas faire.

Quand la cloche sonne à la fin du cours, Lisa

ramasse les fleurs aussi vite que possible, mais elle a de la difficulté à refaire le bouquet. Elle essaie aussi de ramasser les petites étoiles argentées qui sont tombées sur son bureau.

Félix vient lui donner un coup de main.

— Qu'est-ce que je peux faire? demande-t-il. Je sais plus du tout ce qu'il faut que je fasse.

Elle s'efforce de trouver les bons mots. Elle doit les prononcer d'un ton ferme et convaincant: «Laisse-moi tranquille. Je ne veux pas que tu t'approches de moi.»

Elle essaie de forcer les mots à sortir, mais ils restent pris dans sa gorge. Félix n'obtient qu'un silence pour toute réponse.

— Alors, il va falloir que je trouve tout seul, dit-il en riant. Pas de problème. J'aime les défis. J'espère que, toi, tu aimes les fleurs.

Sur ces mots, il lui met le reste des fleurs dans les bras et s'en va.

Lisa sort de la classe aussi vite que possible, convaincue que le professeur la regarde avec curiosité. Ça ne se déroule pas comme elle le voulait. Il faut qu'elle soit invisible. Avant, c'était par choix. Maintenant, c'est par nécessité.

Elle essaie de se rappeler la première fois où elle a voulu être invisible. C'est probablement quand elle a cessé d'espérer qu'elle pourrait voler un jour. Si elle ne pouvait pas s'évader en volant, elle le ferait en se renfermant en elle-même.

Elle se souvient d'un jour où elle a renversé son

verre de lait à table. C'était un accident, un des rares. Habituellement, elle faisait très attention pour ne pas faire de gestes brusques ni de bruit afin de pas attirer l'attention de son père.

Ce soir-là, pourtant, son coude heurte le verre juste assez fort pour qu'il tombe par terre et se brise.

— Comment veux-tu que je me relaxe ? hurle son père. J'ai travaillé toute la journée et je ne suis même pas capable d'avoir la paix dans ma propre maison.

— Je m'excuse, marmonne Lisa.

Elle devait avoir environ dix ans à cette époque.

— Je vais nettoyer.

— Sors d'ici, lui dit son père sèchement. Laisse-moi finir mon souper tranquille.

— Mais, chéri, Lisa n'a pas fini de souper. On nettoiera tout ça dans une minute, dit sa mère d'une voix tendue.

— J'ai pas faim, dit Lisa en se levant. Je monte dans ma chambre.

Elle s'allonge sur son lit à baldaquin et regarde fixement le tissu blanc. Pourquoi est-elle si maladroite ? Est-elle odieuse au point que son père ne peut même pas supporter de souper avec elle ?

Pourquoi son père la déteste-t-il ?

C'est sûrement sa faute. Il ne peut pas la détester sans raison. C'est probablement parce qu'elle est laide, maladroite, stupide et pas parfaite. Son père est un artiste. Il est quelqu'un d'important. Il doit avoir honte d'elle.

Sa mère entre dans sa chambre quelques heures plus tard. Elle lui dit que son père est retourné travailler dans la grange et lui demande si elle veut manger quelque chose. Lisa répond que non.

Elle ne mérite pas de manger.

Elle se demande si sa mère regrette aussi de l'avoir pour fille. Son père ne crie jamais après sa mère comme il le fait avec elle. Peut-être que, si elle n'était pas là, ils seraient toujours heureux, comme ils l'avaient été durant leur séjour à Toronto. Là-bas, ses parents étaient seuls dans leur chambre, sans elle. Et ils avaient l'air heureux.

Lisa essaie de trouver un endroit où elle pourrait aller. Elle n'a pas d'amis. Elle n'a pas de famille non plus. Elle n'a jamais été en visite chez ses grands-parents, oncles ou tantes; elle en conclut qu'elle n'a pas de famille. Où peut-elle aller?

Comme elle ne trouve pas de réponses à ses questions, elle devra faire un effort pour s'améliorer. Elle devra être parfaite. Alors son père l'aimera peut-être. Il n'aura pas le choix.

Lisa se dit qu'elle peut au moins essayer d'être parfaite à l'école en n'obtenant que des A. Un jour, elle rentre à la maison avec son bulletin final de sixième année. Dans toutes les colonnes, il n'y a que des A. Elle sourit intérieurement. Voilà quelque chose de parfait! Son père ne pourra pas faire autrement que de la féliciter.

Sa mère regarde le bulletin de Lisa et dit à sa fille à quel point elle est fière d'elle. Elle ajoute qu'elle sait que Lisa a dû travailler très fort pour obtenir ces résultats et qu'il faudra célébrer ça. Lisa la remercie, mais ce qu'elle veut vraiment, c'est que son père voie tous ses A. Cette fois, ce sera différent. Il sera fier d'elle.

Ce soir-là, quand Lisa met la table pour le souper, elle laisse son bulletin au beau milieu de la table. Son père le verra sûrement.

Son cœur bat plus vite quand son père entre dans la cuisine et se laisse tomber sur la chaise à sa place habituelle. Il ne regarde pas le bulletin. Mais ce n'est pas grave. Il finira bien par le remarquer.

Lisa dépose sur la table les plats que sa mère a préparés : des croquettes de steak haché, des haricots verts, de la salade et des petits pains. Elle s'arrange pour ne pas cacher son bulletin. Il le verra, c'est certain.

Son père commence à se servir. Lisa a tellement hâte qu'il voie ses résultats qu'elle a du mal à respirer. Ce n'est plus qu'une question de secondes, maintenant.

Finalement, c'est sa mère qui aperçoit le bulletin. Elle le prend et le tend à son mari.

— Regarde les notes de Lisa, dit-elle avec fierté. C'est impressionnant, hein ?

Le père de Lisa le parcourt rapidement.

— Sixième année, dit-il. Y a rien de difficile en sixième année. N'importe qui peut réussir à ce niveau-là. Passe-moi le poivre, s'il te plaît.

Lisa ne finit pas son assiette ce soir-là non plus.

Elle reste à table pendant quelques minutes qui lui semblent une éternité. Puis elle se lève pour monter dans sa chambre.

Au moins, son père remarque qu'elle s'est levée.

— Qu'est-ce qu'il y a ? demande-t-il. Tu n'aimes pas la cuisine de ta mère ?

— J'ai pas faim, répond-elle en montant l'escalier qui mène à sa chambre.

Pourtant, année après année, Lisa continue à n'obtenir que d'excellentes notes. Mais ça ne fait aucune différence aux yeux de son père. Lisa se dit qu'elle n'a pas encore atteint le niveau où il n'est pas donné à tout le monde de réussir. Elle n'est jamais parvenue à le rendre fier d'elle.

Un jour, alors que les élèves viennent de recevoir leur bulletin de quatrième secondaire, un garçon de la classe de Lisa s'empare de son bulletin et le parcourt avec stupéfaction.

— *Wow* ! Regardez-moi tous ces quatre-vingt-quinze ! s'exclame-t-il. Si je rapportais un bulletin comme ça chez nous, mes parents mourraient d'une crise cardiaque ! Mais s'ils survivaient au choc, ils m'achèteraient tout ce que je voudrais. Ils encadreraient mon bulletin et le mettraient sur la porte du frigo. *Wow* ! Je donnerais n'importe quoi pour avoir un bulletin comme ça.

Lisa était bien prête à le lui donner. Elle n'aurait qu'à effacer son nom et à inscrire celui du garçon. Quelle différence cela ferait-il ?

Malgré tout, Lisa sait qu'elle a de la chance.

Rosanne, une fille de sa classe, arrive souvent à l'école avec des bleus aux bras et aux jambes, et même parfois au visage. Elle prétend toujours qu'elle est tombée ou qu'elle s'est battue avec son frère, mais le bruit court que son père la bat.

Lisa, elle, n'a pas ce genre de problème. Son père ne la touche pas. Il ne lui a jamais donné la fessée et ne l'a jamais frappée. Il ne la prend pas dans ses bras non plus, mais jamais il n'a levé la main sur elle.

Lisa a de la chance. Elle a ses parents, une jolie maison, de la nourriture et des vêtements en abondance, et plein de livres à lire.

Oui. Elle en a de la chance.

Chapitre 7

Lisa écoute attentivement. Tout est silencieux. Trop silencieux. Elle n'entend pas non plus les bruits habituels de la forêt : les cris des oiseaux, le bruit des écureuils, le bourdonnement des insectes. C'est le silence parfait. Il doit être encore là, tout près.

Au fin fond d'elle-même, Lisa tente de trouver une dernière parcelle d'optimisme et de courage. Elle peut serrer Jacquot au creux de sa main et essayer de s'enfuir. La forêt est dense, mais Lisa connaît quelques sentiers. Elle pourrait peut-être atteindre une maison ou une route et demander de l'aide à la première personne qu'elle verra.

Mais voyons ! Pourquoi se raconte-t-elle des histoires ? Elle n'a pas la moindre chance de s'en sortir. Et même si elle s'en sauvait aujourd'hui, ce ne serait que partie remise.

Lisa ne peut plus se défendre. Elle restera cachée, c'est tout. Elle n'a rien prévu d'autre.

Elle caresse la petite tête de Jacquot du bout du

doigt. Elle l'envie. Lui aussi va mourir bientôt, mais il ne le sait pas. Il peut dormir paisiblement, ignorant que, dans quelques minutes, il mourra.

Lisa, elle, le sait.

Elle se souvient que quelqu'un d'autre est venu à la maison, un jour. Et sans invitation, comme Véronique. Comment s'appelait-elle, déjà ? Lisa se rappelle que son prénom lui allait bien. Emmanuelle, c'est ça. Un nom long et sophistiqué.

C'était tout de suite après la parution d'un article à propos duquel ses parents s'étaient disputés un soir, pendant le souper.

— Chéri, une journaliste a téléphoné aujourd'hui. Le journal local veut publier un article sur toi. C'est formidable, hein ?

Sa mère a attendu qu'ils aient terminé le dessert avant d'en parler.

— Je lui ai dit que tu la rappellerais.

— Et qu'est-ce qui te fait croire que ça me tente de la rappeler ? demande son père brusquement.

— J'ai pensé que ça te ferait de la publicité. On ne voit pas ça tous les jours, un artiste de la place qui devient célèbre dans tout le pays. Ça encouragera peut-être les gens d'ici à acheter tes tableaux.

— Tu ne crois pas que je suis assez bon pour me passer de publicité ? demande-t-il d'un ton dur.

— Mais bien sûr, dit sa mère. Tu sais à quel point j'admire ce que tu fais. Pourtant, j'aimerais que tout le monde sache qu'un artiste de grand talent habite à deux pas de chez eux.

— Je déteste les journalistes, grogne son père d'une voix plus calme.

Les flatteries de sa mère semblent avoir fait leur effet.

— Je suis certaine que le journal enverra son meilleur journaliste, dit-elle. Pourquoi ne pas les appeler demain ?

— Appelle-les, toi. J'ai autre chose de plus important à faire.

— Je vais tout organiser, dit sa mère. J'essaierai de trouver le moment qui te conviendra le mieux.

— Ça va probablement me déconcentrer et me coûter une journée de travail, ajoute son père.

Malgré tout, il sourit.

— Je sais à quel point tu travailles fort, dit sa mère. Les gens ne savent pas comme c'est difficile d'être un artiste.

« Je me demande s'ils savent comme c'est difficile d'être la fille d'un artiste », pense Lisa qui garde la tête baissée en mangeant pour ne pas attirer l'attention de son père. Bien entendu, si elle était une meilleure fille, ce ne serait peut-être pas aussi difficile pour son père. Il semble bien s'entendre avec sa mère.

Il faut dire que sa mère ne lui tient jamais tête. « En a-t-elle déjà eu envie ? se demande Lisa. A-t-elle déjà eu envie de hurler après lui comme il le fait avec nous ? N'a-t-elle jamais éprouvé le besoin, après une dure journée, de se défouler sur lui ? »

De toute évidence, c'est sûrement Lisa qui fait fausse route. Quand sa mère regarde son père, l'amour se lit dans ses yeux. Elle semble l'adorer, quoi qu'il fasse ou qu'il dise. Elle ne se plaint jamais, ne pleure jamais, ne s'enfuit jamais.

Comment y arrive-t-elle ? Lisa deviendrait folle sans ses livres, ses dessins secrets, ses heures passées à rêver sur son lit à baldaquin. Elle deviendrait folle si elle ne sortait pas de cette maison pour aller à l'école, même si elle est aussi silencieuse là-bas que chez elle.

À l'école, au moins, ses professeurs semblent croire que ses résultats sont suffisamment près de la perfection pour être acceptables. Si elle peut finir son secondaire, elle ira ensuite au cégep. Et elle en choisira un qui sera loin de chez elle. Son père vend de plus en plus de tableaux ; il aura donc les moyens de lui payer un appartement dans une autre ville. Lisa sait qu'elle s'ennuiera terriblement de sa mère, mais elle sait aussi qu'en s'éloignant de la maison elle prendra un nouveau départ qui lui permettra d'être libre. Personne ne saura qui elle est ni qui est son père.

Quelques jours plus tard, la journaliste vient à la maison. C'est une jolie femme aux cheveux noirs et aux longs ongles rouges. Son père lui permet d'entrer dans la grange. Lisa n'en revient pas. Même sa mère n'a pas le droit d'y mettre les pieds. Un peu plus tard, son père et la journaliste poursuivent l'entrevue dans le salon. La jeune femme rit et le père de Lisa aussi. Lisa et sa mère restent dans la cuisine et retiennent leur souffle. Lisa ne peut s'empêcher de se demander quand son père va se mettre à crier.

Quand elle est sur le point de partir, la journaliste passe dans la cuisine et s'adresse à sa mère. Lisa est déjà sortie, mais leurs voix lui parviennent dehors.

— Ça doit être excitant de vivre avec un homme si talentueux et si charmant, dit-elle presque dans un soupir.

Charmant ?

— J'ai beaucoup de chance de faire partie de sa vie, répond la mère de Lisa. Il travaille beaucoup et il a besoin d'un environnement calme et silencieux où il peut refaire ses forces.

— Vous vivez dans l'ombre d'un génie, fait remarquer la journaliste.

Lisa frissonne en entendant ça. Elle n'aime pas penser que sa mère vit dans l'ombre. Elle préfère l'imaginer dans la lumière vive du soleil en train de jardiner.

Et si sa mère vit dans l'ombre, où vit-elle, elle ?

La semaine suivante, Lisa lit l'article dans le journal. Deux choses resteront à jamais gravées dans sa mémoire.

La première est une déclaration de son père : « J'ai besoin d'être complètement seul pour exercer ma créativité. J'aime la solitude. »

La deuxième est une simple constatation. L'article parle de la mère de Lisa et du support qu'elle apporte à son mari, mais nulle part il n'est mentionné qu'il a une fille. C'est comme si Lisa n'existait pas.

Le lendemain de la parution de l'article, à l'heure du dîner, une voiture s'engage dans l'allée et s'arrête devant la maison. Lisa est surprise, car ils n'ont jamais de visite. Elle sort en compagnie de sa mère et elles voient descendre une fille que Lisa reconnaît pour l'avoir déjà croisée à l'école. Une femme la suit; probablement sa mère.

— Bonjour, dit la femme d'un ton si joyeux que ça en est ridicule. Je suis tellement excitée ! Voici ma fille Emmanuelle. C'est une amie de votre fille. Elles vont à la même école.

Une amie ? Lisa n'a jamais échangé un mot avec cette fille. Elle n'ont même pas de cours ensemble.

— Emmanuelle veut devenir peintre. En fait, j'ai apporté quelques-uns de ses dessins et vous ne pouvez pas savoir ce que ça représenterait pour elle si votre mari acceptait de la rencontrer pendant un moment. Rien qu'un tout petit moment. Je suis certaine qu'il saurait la conseiller.

Lisa regarde Emmanuelle. Celle-ci a l'air un tout petit peu embarrassée, mais pas assez pour que ses joues parfaitement roses se teintent de rouge ou pour déplacer une seule mèche de ses longs cheveux blonds.

— Je ne pense pas que ce sera possible, dit la mère de Lisa avec politesse. Mon mari est au travail et il n'aime pas être dérangé.

— Alors peut-être qu'Emmanuelle pourrait simplement le regarder à l'œuvre, insiste la femme. Elle sera tranquille comme tout. Il ne s'apercevra même pas qu'elle est là. Je suis convaincue qu'elle apprendrait beaucoup rien qu'en étant près de lui.

Pour qui se prend-elle, celle-là? Lisa a vécu ici toute sa vie et, sauf pour un court instant où elle a entrevu son père par la fenêtre, elle ne l'a jamais regardé travailler.

Son cœur se met à battre plus rapidement. Elle entend claquer la porte de la grange et voit son père traverser la cour. Il marche d'un pas rapide, les sourcils froncés. Ça va barder.

La mère de Lisa a dû penser la même chose.

— Ce n'est peut-être pas le bon moment, s'empresse-t-elle de dire. Vous feriez peut-être mieux de partir.

— Oh ! regarde, Emmanuelle ! s'exclame la femme d'un ton aigu. C'est lui ! Il est juste là ! Va lui parler !

Emmanuelle ne bouge pas, mais elle adresse un sourire radieux au père de Lisa. Lisa s'attend à le voir changer de direction et marcher vers la porte de la maison, et c'est ce qu'il s'apprête à faire ; mais il jette un coup d'œil aux deux visiteuses et se dirige plutôt vers elles. « Ça y est, se dit Lisa. Elles vont avoir droit à la crise du siècle. »

Dès que le père de Lisa est à portée de voix, la femme se met à babiller au sujet de sa fille. Au grand étonnement de Lisa, son père s'avance vers elles. Ne prêtant aucune attention à Lisa, à sa mère ou à la femme, il fixe son regard sur Emmanuelle.

— Ne me dis pas que tu veux devenir peintre, dit-il. Les jours où rien ne va, il n'y a pas d'existence plus misérable.

— Mais les jours où ça va bien, il n'y a sûrement rien de plus merveilleux, dit Emmanuelle d'une voix douce.

— C'est vrai. Mais ces jours sont rares.

— Je suis prête à travailler très fort pour être une bonne artiste, poursuit Emmanuelle avec sérieux. Je donnerais tout ce que j'ai pour être comme vous.

Lisa attend que son père lui rie au nez, mais il ne le fait pas.

La mère d'Emmanuelle, qui a observé la scène en écarquillant les yeux, bouche bée, reprend soudain ses sens.

— Jetez un coup d'œil là-dessus, dit-elle en lui tendant une chemise cartonnée. Ce sont les dessins de ma fille. Je suis sûre qu'elle a beaucoup de talent.

— Maman, proteste Emmanuelle en secouant la tête.

— Non, non, ça ira, dit le père de Lisa.

Il ouvre la chemise et regarde le premier dessin. Lisa le voit par-dessus l'épaule de son père et elle attend son rire méprisant. Le dessin montre une licorne avec une guirlande de fleurs autour du cou et des nuages au-dessus d'elle. La licorne a des yeux immenses et de longs cils. Pauvre Emmanuelle ! Lisa sait à quel point son père a horreur des dessins fantaisistes.

Il regarde le dessin suivant. C'est une esquisse d'une poupée de chiffon faite au crayon de couleur. Il trouve ensuite un pastel passablement barbouillé représentant un clown. Enfin, le dernier dessin est un portrait.

— C'est mon portrait, annonce fièrement la femme. C'est tout à fait moi, n'est-ce pas ?

Lisa ne l'aurait jamais reconnue. Le visage sur le papier ne lui ressemble pas du tout.

Lisa a presque pitié d'Emmanuelle. Ce ne sera pas facile pour elle d'encaisser la critique de son père. Mais elle a permis à sa mère de la traîner jusqu'ici, alors…

— Tu as du talent, de toute évidence, dit son père à Emmanuelle en lui rendant la chemise. Tu fais un peu de tout et ça te permettra de découvrir ta force. Le monde de l'art se nourrit de différents styles, et je suis certain qu'il y a de la place pour le tien. Continue à dessiner. C'est un talent qu'on doit développer et polir.

— Merci, dit Emmanuelle d'un ton grave. Vos encouragements me touchent beaucoup.

— Tu es une charmante jeune femme. J'ai été ravi de faire ta connaissance. Si je peux t'être utile, appelle-moi. Il faut que j'y aille.

Il adresse un dernier sourire à Emmanuelle et, sans un regard pour les autres, il entre dans la maison.

Derrière elle, Lisa entend sa mère pousser un soupir de soulagement.

— Vous voyez, je savais que ça valait la peine d'arrêter, dit la femme à la mère de Lisa.

Elle lui sourit d'un air suffisant.

— Et vous qui disiez qu'on allait le déranger!

— On ne sait jamais à quoi s'attendre avec lui, dit la mère de Lisa.

Emmanuelle et sa mère se dirigent vers leur voiture.

— Je suis certaine que vous aurez l'occasion de vous reparler à l'école, dit la femme.

« Mon œil! » pense Lisa tandis qu'elles s'éloignent sans les remercier.

Sa mère se précipite dans la maison pour finir de préparer le souper et Lisa s'assoit sur une marche de l'escalier. Elle a la tête qui tourne et l'estomac noué.

Emmanuelle est une charmante jeune femme, selon son père. Elle est également tout l'opposé de Lisa, d'après ce qu'elle a pu constater. Elle est grande, alors que Lisa est petite. Elle a de longs cheveux blonds, tandis que ceux de Lisa sont bruns et très courts. Emmanuelle est sûre d'elle et raffinée; Lisa, de son côté, est tellement timide qu'elle n'ose pas parler aux autres. Emmanuelle est populaire et Lisa, anonyme.

Emmanuelle a du talent, alors que Lisa a été humiliée le jour où son père a réduit un de ses dessins en boulette.

Emmanuelle a du talent ?

Si Emmanuelle représente la fille idéale aux yeux de son père, Lisa est perdue. Jamais il ne l'aimera.

C'est ce jour-là que Lisa cesse d'espérer que son père l'aimera un jour.

Chapitre 8

Lisa a fini par comprendre que son père ne l'aime pas. Mais ce n'est que beaucoup plus tard qu'elle trouve le courage de demander à sa mère pourquoi elle aime son père.

Ça l'intrigue. Il est si froid, si distant avec elle. Sa mère agit comme sa servante ; pas comme la femme qui partage sa vie. Pourquoi est-ce qu'elle l'endure ? Pourquoi est-elle toujours si compréhensive, calme et patiente malgré les sautes d'humeur et les exigences de son mari ?

Lisa finit par lui poser la question un jour où son père s'est montré particulièrement désagréable. Tout lui tombe sur les nerfs : le souper, les tentatives de sa mère pour alimenter la conversation, le silence de Lisa, la chaleur... Quand il annonce qu'il retourne dans la grange pour perdre son temps à travailler à une toile qui, de toute façon, ne se vendra jamais — Lisa et sa mère ont droit à ce refrain à chaque fois qu'il peint un tableau —, la mère de Lisa décide d'emmener sa fille manger un cornet de crème glacée. Elles raffolent toutes les deux de la crème glacée maison aux brisures de chocolat et à la menthe qu'on sert au bar laitier. La mère de Lisa semble réserver cette petite douceur pour les jours où son mari se montre franchement insupportable.

Ce n'est qu'après avoir entendu son mari claquer la porte de la grange que la mère de Lisa semble à nouveau respirer. Lisa et sa mère montent dans la voiture, roulent dans l'allée, puis sur la route pavée qui mène en ville. La mère de Lisa expire longuement. « Un soupir de soulagement », se dit Lisa.

— Comment fais-tu pour le supporter ?

Sa voix douce tremble d'émotion.

— Lisa, pourquoi me demandes-tu ça ?

Sa mère quitte la route des yeux pour la regarder, perplexe.

— Il est méchant avec toi.

— Il ne le fait pas exprès. Il est très tendu et change très vite d'humeur. Tu sais ce que c'est, le tempérament d'artiste.

— Mais tu n'es pas comme ça, toi.

— C'est parce que je n'ai rien d'une artiste, dit sa mère en souriant.

— Mais il te parle toujours d'un ton brusque et il critique tout. Tu n'as pas envie de lui répondre, toi aussi ?

— Qu'est-ce que ça donnerait ? Il serait encore plus nerveux, et on n'a pas besoin de ça, hein ?

— Non, admet Lisa. Mais je ne sais pas comment tu fais pour le supporter.

— Ton père peut être très charmant quand il le veut, ajoute sa mère au bout d'un moment.

« Et quand le veut-il ? se demande Lisa. Quand il rencontre des gens dans les galeries d'art ? Ou avec Emmanuelle ? Quand est-il charmant avec nous ? »

Sa mère a dû deviner ses pensées.

— Lisa, ton père est un homme très difficile. Je sais qu'il n'est pas très présent et qu'il n'a rien des pères qu'on décrit dans tes livres ou que tu vois à la télévision. Il vit dans sa tête. Il a des visions de choses qu'il veut peindre, et il m'arrive de penser que ces visions n'ont rien à voir avec le monde réel. Ça ne veut pas dire qu'il ne nous aime pas.

« Nous aimer ? pense Lisa. Voilà la question. Je sais qu'il ne m'aime pas. » Mais elle ne peut pas dire ça à sa mère. Elle sait que ça lui ferait de la peine.

Lisa constate soudain qu'elle ignore comment ses parents se sont connus. Ça l'aiderait peut-être à comprendre, si elle savait.

— Où l'as-tu rencontré ? demande-t-elle.

— Ce n'est pas une histoire des plus excitantes. J'ai bien peur que tu seras déçue. Mais si tu as envie de savoir, je ne vois pas pourquoi je ne te la raconterais pas.

— Vas-y, dit Lisa.

— Nous nous sommes rencontrés quand j'allais au cégep. J'en étais à ma deuxième année d'études en informatique. Comme cours optionnel, j'ai choisi « Introduction à l'art », plus par curiosité que par véritable intérêt. Une de mes amies, qui, comme moi, n'avait pourtant aucun talent artistique, avait suivi ce cours et m'avait dit que le jeune professeur notait en se basant strictement sur l'effort, et non sur le résultat. Il n'en fallait pas plus pour que je m'inscrive.

Lisa écoute sa mère avec intérêt. Elle ignorait que cette dernière avait fait des études en informatique. Elle n'a jamais parlé de ses années au cégep.

— Quand je suis entrée dans la classe au premier cours, j'étais prête à dessiner des arbres ou n'importe quoi d'autre. Imagine ma surprise quand un homme au regard intense et mauvais s'est présenté. Il a dit que le professeur qui donnait le cours était tombé malade et qu'il le remplaçait pour toute la session. Il s'est empressé de nous dire qu'habituellement, il ne travaillait qu'avec des étudiants en histoire de l'art, et qu'il était insulté d'avoir à enseigner à des amateurs comme nous.

— Et c'était papa ? demande Lisa.

— Ça a été notre premier contact, dit sa mère en souriant. Dès que mon amie a su qui j'avais comme prof, elle m'a dit d'abandonner immédiatement. Sa réputation était faite dans tout le cégep. On disait qu'il n'était pas satisfait tant qu'il n'avait pas déchiré le travail d'un étudiant ou qu'il n'avait pas réussi à en faire sortir un en larmes.

— Pourquoi tu n'as pas laissé tomber ? demande Lisa.

— Il n'y avait plus de place dans les autres cours et je me suis dit que ça ne pouvait pas être si pire que ça. C'était seulement trois heures par semaine pendant une session.

— Comment c'était ?

— Épouvantable, répond sa mère en riant. Il a commencé en nous demandant de faire des dessins compliqués, et personne n'arrivait à les faire à son goût. Il a dit que ma nature morte aux poires ressemblait à un siffleux écrasé sur l'autoroute.

— C'est cruel. Tu n'étais pas à l'École des beaux-arts. Tu faisais de ton mieux.

— Mais c'est vrai qu'elle ressemblait à un siffleux écrasé, dit la mère de Lisa en riant. Tu ne peux pas imaginer à quel point mes dessins étaient médiocres.

— Alors il te criait tout le temps après ?

— Oui. Au début, ça me bouleversait. J'avais l'habitude d'obtenir de bonnes notes et je m'entendais bien avec mes autres professeurs. Et voilà qu'il se servait de mes dessins pour illustrer ce qu'il ne fallait pas faire.

— Mais tu ne pensais pas à abandonner ?

— Juste au moment où j'allais le faire parce que j'étais convaincue d'échouer de toute façon, quelque chose a changé. Je ne sais pas si c'est moi ou lui qui a changé, mais la situation est devenue amusante. Je continuais à faire des efforts pour réussir, et lui continuait à crier, mais c'était devenu une sorte de jeu. Je faisais rire les autres étudiants de la classe, qui se sentaient bons comparativement à moi. Quand ils ont entendu dire que je voulais abandonner, ils m'ont suppliée de rester. C'était vraiment drôle, Lisa.

Lisa doit admettre qu'elle comprend le côté humoristique de la situation, même si elle ne peut s'imaginer être la ratée de la classe.

— On a fini par conclure une entente, ton père et moi. Je lui ai promis de me concentrer sur mes études en informatique et de ne plus jamais reprendre un cours en art ni de dire à qui que ce soit qu'il avait été mon professeur. En échange, il a adouci ses critiques et a tenté de m'aider à voir les choses comme une artiste.

Sa mère s'arrête, comme si l'histoire se terminait là. Mais en fait, ça ne fait qu'attiser la curiosité de Lisa.

— Qu'est-ce qui s'est passé ensuite ?

— Tu sais, j'ai été extrêmement surprise quand il m'a suivie dans le stationnement du cégep au début de la session suivante. Il m'a dit que ma personnalité tout à l'opposé de la sienne lui manquait.

— C'est vrai que vous êtes bien différents.

Sa mère approuve d'un signe de tête.

— Il savait qu'il était impatient et impoli avec les autres, et qu'il était incapable de s'occuper des tâches quotidiennes. Tu aurais dû voir son appartement quand il était professeur. La première fois que j'y ai mis les pieds, j'ai failli m'évanouir. Il y avait des vêtements, des accessoires de peinture, de la vaisselle sale et du courrier pas ouvert partout. Il n'avait rien à manger, en tout cas rien qui n'était pas moisi. Il ne trouvait rien, même pas le téléphone.

— Alors tu as fait le ménage, dit Lisa.

Elle imagine sa mère, jeune et intimidée par un artiste un peu fou.

— Comment as-tu deviné ? demande sa mère en souriant. Sans qu'on s'en rende vraiment compte, j'ai commencé à aller faire son marché, à faire le ménage de son appartement, et même à inscrire les notes de ses étudiants sur les relevés pour être sûre qu'il respectait les échéances du cégep.

— Donc, tu prenais soin de lui, dit Lisa.

— Je ne voyais pas les choses comme ça, continue sa mère un peu sur la défensive. Je m'amusais. C'était comme jouer à la maîtresse de maison. Pendant longtemps, il n'y a rien eu de romantique entre nous. Ton père a quelques années de plus que moi et j'étais persuadée qu'il ne pouvait pas s'intéresser à une fille ordinaire comme moi.

— Pourquoi dis-tu ça ?

— Parce que c'est la vérité. J'avais de bonnes notes, mais je n'étais pas exceptionnellement brillante ni douée. Je réussissais à force de travail. J'étais du genre timide et je ne parlais pas beaucoup. Si je me décidais à aller à un *party*, je finissais par me retrouver seule dans un coin à regarder les autres s'amuser. De son côté, ton père avait déjà une réputation d'artiste. Tout le monde savait que ce n'était qu'une question de temps avant qu'il arrête d'enseigner pour se consacrer uniquement à la peinture. En plus, il était très séduisant. La moitié des filles qu'il n'avait pas encore fait pleurer étaient amoureuses de lui. Il était tellement sévère que, s'il avait le malheur de leur dire quelque chose d'à peine gentil, elles avaient l'impression d'avoir gagné à la loterie. Quand il entrait dans une salle, tous les yeux étaient rivés sur lui. Tu ne t'en rends peut-être pas compte, Lisa, mais ton père a beaucoup de magnétisme.

Si elle pense à lui comme à un étranger, Lisa arrive à le trouver beau. Il a d'épais cheveux gris bouclés qui lui font penser à la crinière d'un lion ; il est mince et porte presque toujours les mêmes jeans et la même chemise trop grande. Lisa lui trouve un air un peu théâtral, comparativement à certains pères qui portent toujours des complets bleu marine pour aller travailler.

— Et puis ?

— Quand la session a pris fin, je suis retournée chez mes parents pour les vacances et j'ai travaillé dans une banque qui m'employait les étés précédents. J'étais certaine qu'il ne penserait même pas à moi et je n'ai pas eu de ses nouvelles de l'été. Quand je suis retournée au cégep pour ma troisième année d'études, je l'ai croisé le premier jour. Il m'a emmenée à son appartement, qui était d'ailleurs sens dessus dessous, et il m'a dit qu'il s'était ennuyé de moi. J'ai cru qu'il voulait que je l'aide encore et je lui ai dit pour plaisanter qu'il ferait mieux d'engager une femme de ménage. Il s'est fâché, mais il a fini par me dire qu'il avait réfléchi pendant l'été et que je comptais plus pour lui qu'il ne l'avait cru.

« Et elle est tombée dans le panneau ? » se demande Lisa. Puis elle secoue la tête. Elle n'a pas le droit d'être aussi négative.

— Ce jour-là, les choses ont changé entre nous. On n'est jamais vraiment sortis ensemble, mais on s'est mis à passer de plus en plus de temps seuls tous les deux. À la fin de ma troisième année, c'était comme entendu entre nous qu'on allait se marier.

— Il t'a demandé en mariage ?

— Non. C'était plutôt le cours naturel des choses. Je ne sais pas comment t'expliquer ça. J'ai toujours su qu'il ne voulait pas de grande cérémonie et qu'on irait tout simplement au palais de justice pour les formalités.

— Alors vous n'avez pas fait de réception ?

— Non. Désolée de te décevoir. J'ai terminé mes études, on s'est mariés, ton père a quitté l'enseignement et on s'est installés ici. On ne savait pas trop où on s'en allait, mais on avait des économies et on était tous les deux convaincus que ses toiles se vendraient.

— Et c'est devenu ta vie ?

— Oui, Lisa, c'est devenu ma vie.

Sa mère n'a pas l'air d'approuver le choix de ses mots.

— Il faut que tu comprennes. Je n'ai pas de talent particulier dont le monde pourrait bénéficier.

Ce qui me satisfait, c'est de savoir que je rends la vie plus facile à quelqu'un qui a le talent pour créer des chefs-d'œuvre. Je suis capable de m'occuper de ces petites choses de la vie quotidienne, ce qui lui permet de travailler.

— Alors tu te contentes de rester toujours dans l'ombre?

— Mais oui, Lisa. C'est mon rôle, et je l'ai accepté il y a déjà longtemps.

Et Lisa? Quel est son rôle dans tout ça? Il semble qu'elle n'a rien à offrir à son père, rien du tout.

Elle se demande tout à coup s'il avait souhaité sa naissance.

Mais elle n'ose pas poser la question de vive voix, de peur d'entendre la réponse qu'elle connaît déjà.

Chapitre 9

Ce n'est pas ce que Lisa a voulu. Ses souvenirs ne font que la rendre plus triste et ne lui apportent aucune tranquillité d'esprit.

Elle remue un peu et le regrette immédiatement. Son corps commence à être engourdi et le simple fait de bouger lui cause des picotements douloureux jusque dans les extrémités. Au moins, Jacquot s'est rendormi. Lisa sent son minuscule cœur qui bat. Il a une âme de bagarreur pour une si petite créature. Il n'a pas cessé de l'étonner depuis le jour où elle l'a ramené à la maison.

Non. Elle n'est pas prête à penser à ce jour-là. Pas encore. Elle essaie de trouver un autre souvenir, n'importe quel autre, pour mettre celui-ci de côté au moins quelques instants encore.

Félix. Elle a juré de ne pas penser à lui, mais son visage danse devant ses yeux, souriant et plein de vitalité. Jamais elle n'a rencontré quelqu'un qui sait si bien profiter de chaque instant de la vie. Tout est une aventure pour lui, un jeu. Il est si différent de Lisa qu'on croirait qu'ils ne vivent pas sur la même planète. Elle vient d'un endroit sombre enseveli sous la brume et les nuages. Félix, lui, c'est la lumière du jour. Lisa a lu un jour que les gens ont une aura de lumière qui les enveloppe. Si c'est vrai, la sienne est bleu nuit, tandis que celle de Félix est jaune et vibrante comme le soleil.

Elle se souvient du jour où il y a eu une panne d'électricité à l'école. C'était quelques semaines après que Félix lui eut donné les fleurs et la carte. Par la suite, ils avaient échangé quelques mots à deux ou trois reprises, avant et après le cours de français, ou lorsque Félix l'apercevait dans le couloir et tournait autour d'elle en riant, en la taquinant et en la suppliant de lui sourire.

Donc, un jour, les lumières s'éteignent au beau milieu du cours. Félix, assis derrière Lisa comme d'habitude, pose ses mains sur ses épaules et déclare d'une voix héroïque et tonitruante :

— Ne crains rien, Lisa. Je vais te sauver. Nous nous en sortirons vivants.

Ça détend l'atmosphère et tout le monde éclate de rire.

Puis la sirène d'alarme retentit. Certains élèves semblent sur le point de paniquer. Pendant qu'ils se précipitent vers la porte, Félix se tient à côté de Lisa, qui rassemble ses livres et attend que les choses se calment. Mais elle aussi finit par s'énerver un peu quand la fumée commence à envahir les couloirs.

Félix agrippe la courroie du sac de Lisa pour

s'assurer qu'ils ne se perdront pas dans la foule qui a commencé à se bousculer vers les escaliers et les sorties. Ils suivent le courant, malgré la fumée qui leur pique les yeux, et se retrouvent dehors. Le personnel et les professeurs crient aux élèves d'aller s'asseoir dans les estrades du terrain de soccer. Au loin, on peut déjà entendre les sirènes des voitures de pompier.

Félix et Lisa se tiennent le long du terrain et regardent les élèves qui crient et font les fous, maintenant qu'ils sont sains et saufs. Un nuage de fumée plane au-dessus du toit et des professeurs discutent farouchement avec un groupe d'élèves qui veulent retourner à l'intérieur chercher leurs affaires.

Le directeur s'amène sur le terrain avec un porte-voix et, après avoir crié pendant cinq minutes pour demander le silence, il peut enfin prendre la parole. Il annonce que le circuit électrique a pris feu, que l'incendie est maîtrisé et qu'il n'a pas causé beaucoup de dommages à l'édifice, mais que le chef des pompiers interdit l'accès à l'école tant que les ventilateurs n'auront pas évacué la fumée. Les cours sont donc annulés pour la journée. Après les applaudissements, le directeur ajoute que ceux qui n'habitent pas loin ou qui sont venus en voiture peuvent partir ; quant à ceux qui voyagent en autobus, ils devront attendre le retour des autobus, ce qui prendra environ une heure.

— Allons-y, dit Félix.

C'est à croire que tout le monde est venu à l'école

en voiture, car les estrades se vident presque instantanément.

— Je voyage en autobus, dit Lisa. Faut que j'attende ici.

— Je vais te reconduire chez toi.

— Non, proteste-t-elle rapidement.

Trop rapidement et trop sèchement. Félix la dévisage avec curiosité. Le pire, c'est qu'elle ne peut pas lui expliquer pourquoi. Elle ne peut pas lui dire que personne ne doit savoir où elle habite.

— Tu sais, ça me dérange pas, dit Félix.

Lisa secoue la tête en silence. Le risque est trop grand. Personne n'est venu chez elle jusqu'à maintenant. Personne.

— O.K. Alors on va se promener en attendant que ton autobus arrive, dit Félix qui a l'air troublé et même blessé.

Lisa le suit. Ils marchent en silence, ce qui n'est pas dans les habitudes de Félix. Lisa se dit qu'il essaie sans doute de deviner pourquoi elle agit aussi bizarrement. Malheureusement, elle ne peut pas l'aider.

Il y a un parc à environ trois pâtés de maisons de l'école. Lisa est déjà passée devant, mais elle ne s'y est jamais arrêtée. On y trouve un petit terrain de jeu pour les enfants, des tables à pique-nique ici et là dans la partie boisée et deux terrains de tennis à l'autre extrémité du parc. Comme s'il savait, comme s'il pouvait lire sa pensée, Félix se dirige tout droit vers les balançoires.

Lisa ne s'est pas balancée depuis l'école primaire, mais ça lui revient tout de suite. Elle allonge les jambes et se penche en arrière jusqu'à ce que son corps soit presque à l'horizontale. Félix se balance juste à côté d'elle. Lisa continue à se donner des élans et n'arrête que lorsqu'elle n'en peut plus. Elle se laisse alors bercer, la tête rejetée en arrière.

— J'en crois pas mes yeux, dit Félix quand il s'arrête enfin.

— Quoi ? demande Lisa doucement.

— Tu souris, dit-il en la regardant fixement. Bouge pas. Laisse-moi mémoriser cet instant. La princesse Lisa sourit.

Naturellement, son sourire s'efface aussitôt.

— J'avais oublié à quel point j'aime me balancer, dit-elle enfin.

— Es-tu déjà montée plus haut que la barre horizontale ? demande Félix en traînant ses chaussures de sport dans la terre.

— Non. Et toi ?

— Non, mais ça a toujours été mon but. Les plus grands disaient que, si on allait assez haut, on pouvait faire un tour complet par-dessus la barre. Quand je pense à tout le temps que j'ai passé à essayer…

— Moi, ce que je voulais, c'était m'envoler. Je rêvais de monter jusqu'à la cime des arbres et d'y vivre.

— Et tu en rêves toujours, hein ? demande Félix d'une voix très douce. Tu voudrais être n'importe où sauf ici, hein ?

— Tu veux dire ici, avec toi ?

— Non, je veux dire ici en général. Je te regarde à l'école et tu parais toujours à des millions de kilomètres d'ici.

Lisa sait qu'elle doit rompre le silence qui s'installe.

— Je crois que je suis pas mal différente des autres, dit-elle prudemment.

— Heureusement ! dit Félix en bondissant de la balançoire. On n'a pas besoin d'une autre fille qui parle tout le temps et qui rit pour rien. Toi, tu représentes une sorte de défi pour moi. Quand je te fais sourire, j'ai vraiment l'impression d'avoir accompli quelque chose. Viens. Je connais un endroit que tu vas adorer.

Lisa le suit. Il la guide vers ce qui semble être le plus gros arbre du parc.

— Monte, dit-il.

Il se hisse sur une branche basse et commence à grimper.

Lisa le regarde, stupéfaite. Elle ne peut pas le suivre.

— Fais-moi confiance, Lisa. C'est facile de grimper. Je le faisais déjà quand j'avais sept ou huit ans. Tu peux le faire. Agrippe la branche la plus basse et hisse-toi dessus. Après, je te dirai où poser les pieds.

Elle regarde le gros arbre, effrayée. Pourtant, les branches du haut semblent lui faire signe.

Félix redescend presque jusqu'en bas.

— Viens, Lisa. Je ne te laisserai pas tomber. Monte sur la première branche.

Elle pose son sac par terre et tend les bras pour saisir la branche, mais ses mains sont trop petites pour en faire le tour et elle n'a pas une prise solide.

— Appuie tes pieds contre le tronc et pousse vers le haut, l'encourage Félix. Je vais te prendre la main.

Elle suit ses instructions. Félix lui saisit fermement la main droite et, sans cérémonie, la hisse sur la première branche. C'est plus facile maintenant qu'elle est debout. Les branches forment presque un escalier jusqu'en haut. Félix la tient toujours et lui dit de ne pas regarder en bas. Bientôt, elle se trouve à environ six mètres du sol.

— C'est le meilleur poste d'observation, dit Félix en la faisant asseoir tout près du tronc sur une énorme branche. Attends que je sois installé à côté de toi avant de regarder en bas.

Lisa attend qu'il s'assoie à côté d'elle, puis baisse les yeux. Après un moment de vertige, elle n'en revient pas de voir comme ils sont hauts. Puis elle regarde à travers les branches. C'est merveilleux. C'est comme s'ils étaient dans leur propre monde, au-dessus de tout. Lisa voit aussi la cime des arbres voisins et le reste du parc.

— Fais pas de bruit, chuchote Félix. Les oiseaux vont venir.

Il a raison. Après quelques minutes de silence, plusieurs petits oiseaux — probablement des moineaux — reviennent se poser sur les branches et les regardent avec curiosité. Lisa s'efforce de rester parfaitement immobile pour ne pas les effrayer. Elle veut qu'ils l'acceptent comme faisant partie de leur monde.

C'est Félix qui finit par rompre le charme.

— Je savais que ça te plairait, dit-il tout bas.

— C'est superbe, dit-elle. Tu viens souvent ici ?

— Non, pas très souvent. Des fois, quand j'ai vraiment besoin de réfléchir, je viens faire un tour tard le soir. Je grimpe, je regarde les étoiles et ça me remet les idées en place.

— Ça doit être tranquille.

— Si jamais tu as envie de grimper, t'as qu'à me faire signe. Je viendrai avec toi à n'importe quelle heure du jour ou de la nuit.

— Merci, dit-elle.

Touchée, elle voudrait en dire plus, mais elle en est incapable.

— Mais tu le feras pas, hein, mystérieuse princesse Lisa ? Tu laisseras personne traverser le pont-levis et les douves.

— C'est pas aussi simple, dit-elle en s'apercevant que la conversation prend une tournure dangereuse. Regarde.

Elle désigne le stationnement de l'école, visible de leur perchoir.

— Les autobus arrivent.

— Comme tu veux, dit Félix.

Il lui sourit, mais ce n'est pas le sourire radieux qui éclaire habituellement son visage.

— Je vais t'aider à descendre.

Ils retournent vers l'école et, de nouveau, Félix lui offre d'aller la reconduire chez elle. Elle lui dit que l'autobus est déjà là et qu'ils se reverront demain au cours de français.

— Merci pour les balançoires. Et merci pour l'arbre, dit-elle en grimpant les marches de l'autobus.

— Merci pour le sourire, dit Félix qui se retourne et s'éloigne rapidement.

Chapitre 10

Malgré tout, Lisa parvient à sourire en se rappelant la gentillesse de Félix. Mais son sourire s'efface rapidement lorsqu'elle entend les pas. Ils sont assez loin, mais ils semblent plus méthodiques ; ils vont d'abord dans une direction, puis dans l'autre. Ce ratissage mènera-t-il les pas directement dans son nid, sous les racines du gros arbre ?

Probablement.

Non. Sûrement.

On la trouvera. Puis elle mourra.

Le temps est venu maintenant. Elle doit se rappeler les pires moments. La peine qu'elle éprouvera lui apportera peut-être les réponses qu'elle cherche. Que sont les souvenirs douloureux en comparaison de la mort ? Bientôt, elle ne connaîtra plus la souffrance, ni la peur, ni la trahison.

Bientôt, elle ne sentira plus rien.

Sa jambe droite tressaille légèrement, comme si elle se rappelait. Certaines blessures finissent par disparaître ; d'autres ne guérissent jamais.

C'est arrivé lorsqu'elle était en quatrième secondaire. Elle s'en souvient, car c'était la fin de l'année scolaire et Lisa se réjouissait de n'avoir plus qu'une année de secondaire à faire. Ensuite, ce serait le cégep. Et la liberté.

Un soir, pendant le souper, Lisa songe aux examens de fin d'année qui approchent et dresse son plan d'études pour la soirée. Elle parle rarement à table et se contente de répondre aux questions de sa mère. D'habitude, elle parvient à suivre le fil de la conversation entre son père et sa mère.

Pourtant, par un beau soir de mai où elle pense à sa révision de maths et à la meilleure façon de mémoriser les dates importantes pour son examen d'histoire, elle n'entend pas son père s'adresser à elle.

— Lisa. Lisa ! dit sa mère d'un ton un peu paniqué.

Lisa se tourne brusquement vers sa mère.

— Oui ?

— Ton père… commence sa mère.

— Pourrais-tu avoir la politesse de me répondre quand je te pose une question ? demande son père avec brusquerie.

— Je m'excuse. Qu'est-ce que tu m'as demandé ?

— Je ne répéterai pas la question, dit son père en haussant le ton.

— O.K.

Avant qu'elle puisse ajouter : « Je suis désolée d'avoir été distraite », son père se lève et vient se planter à côté d'elle.

— Je me tue au travail pour te faire vivre et je n'accepterai pas que tu me répondes sur ce ton, hurle-t-il. Monte dans ta chambre !

« Avec plaisir », se dit Lisa. Elle jette un bref coup d'œil à sa mère, qui semble figée, puis se lève et se dirige rapidement vers l'escalier qui mène au premier étage. Elle entend encore son père tempêter quand elle entre dans sa chambre et qu'elle donne une poussée à la porte derrière elle pour être sûre qu'elle se ferme.

Encore aujourd'hui, Lisa se dit qu'elle n'a pas voulu claquer la porte. Oui, elle voulait qu'elle se ferme, mais elle n'a pas fait exprès de la claquer. Peut-être que la colère refoulée dans son inconscient lui a donné envie de faire du bruit, mais c'était malgré elle.

Une fois dans sa chambre, elle est soulagée d'avoir échappé à son père. Mais elle entend soudain des pas pesants monter l'escalier. La porte de sa chambre s'ouvre à toute volée et le visage furieux de son père apparaît devant elle.

— Pour qui te prends-tu ? rugit-il. Qu'est-ce qui te donne le droit de claquer les portes dans ma maison ? Ça ne se passera pas comme ça.

Lisa le dévisage, ébahie. Elle a l'habitude d'être ignorée par son père ; pas d'être l'objet de sa rage.

— Tu vas descendre cet escalier tout de suite, remonter et fermer la porte de manière civilisée. C'est compris ?

Lisa fait signe que oui mais n'ose pas bouger, préférant attendre le signal.

— J'ai dit « tout de suite », crie-t-il.

Il la saisit par le bras et la tire d'un coup sec.

Lisa regarde fixement la main de son père sur son bras, comme s'il s'agissait du bras de quelqu'un d'autre et de la main d'un étranger. Son père ne la touche jamais. Il ne la serre jamais dans ses bras, ne lui tapote jamais l'épaule et ne lui prend jamais la main. Et c'est aussi la première fois qu'il la touche quand il est en colère. Malgré son étonnement, elle commence à ressentir de la douleur là où les doigts de son père enserrent son bras.

— Tout de suite, dit-il à voix basse.

Bizarrement, c'est plus terrifiant que de l'entendre hurler.

Il la tire par le bras et l'entraîne vers l'escalier.

Lisa veut lui dire qu'elle va faire ce qu'il veut, qu'elle descendra, remontera et fermera la porte doucement. Elle est prête à n'importe quoi pour qu'il la lâche. Pourtant, les mots restent bloqués dans sa gorge. Elle est incapable d'émettre un son.

Il la tire brutalement jusqu'à l'escalier et commence à descendre. Aujourd'hui encore, Lisa se demande ce qui lui a fait perdre l'équilibre. C'est peut-être le mouvement brusque de son père ou encore sa sandale qui s'est accrochée dans la petite carpette en haut de l'escalier. Peut-être qu'il s'agit d'une combinaison des deux. Mais ça n'a pas beaucoup d'importance.

Lisa a l'impression que sa chute se déroule au ralenti. Elle tombe dans l'escalier et se cogne la tête, puis le dos, avant d'être projetée en bas.

La vitesse et les angles ne font pas bon ménage. Sa jambe est pliée sous elle quand elle atterrit. Lisa perçoit distinctement le craquement de l'os.

Puis sa jambe s'engourdit. Recroquevillée par terre, Lisa ne sait pas combien de temps s'écoule avant que son père la frôle en passant et qu'elle aperçoive le visage angoissé de sa mère qui surgit de la cuisine.

— Lève-toi, dit son père avec un peu d'hésitation dans la voix.

— J'ai la jambe cassée, dit Lisa doucement et avec certitude.

Sa mère pousse un cri et Lisa entend la porte claquer lorsque son père sort. La douleur dans sa jambe est foudroyante et devient presque intolérable quand sa mère l'aide à se relever et la supporte jusqu'à l'auto. Lisa parvient tant bien que mal à s'installer sur la banquette arrière.

Lisa aurait préféré que sa mère appelle une ambulance, mais elle ne dit rien. Tout ce qu'elle veut, c'est sortir de cette maison et trouver une façon d'avoir moins mal pour tenir le coup. Elle ne veut pas penser à ce qui s'est passé. Elle veut se réveiller et découvrir que ce n'est qu'un cauchemar ou une terrible erreur attribuable à son imagination débordante.

Mais c'est bien réel. Sa mère l'amène à l'urgence de l'hôpital. Avant de descendre, elle se tourne vers Lisa.

— S'il te plaît, dis-leur que tu es tombée, tout simplement. Dis-leur que c'était un accident, Lisa. Ton père ne l'a pas fait exprès. Il ne voulait pas te faire de mal. S'il te plaît, laisse-le en dehors de ça.

Lisa ne dit rien. Elle essaie de comprendre malgré la douleur qui la submerge. Si ce n'est pas la faute de son père, alors c'est sûrement la sienne. Elle mérite probablement ce qui lui arrive. Pourtant, elle a toujours à l'esprit l'image de la main de son père sur son bras. Curieuse, elle baisse les yeux. Les doigts de son père ont laissé des bleus bien distincts dans sa chair.

Sa mère suit son regard.

— Tiens, dit-elle en retirant vivement la veste qu'elle porte par-dessus son chemisier. Mets ça. Tu trembles. Tu dois avoir froid.

Lisa détourne les yeux tandis que sa mère pose la veste sur ses épaules.

Après une série de radiographies qui mettent en évidence une fracture complète du tibia, l'effet bienfaisant des calmants commence à se faire sentir. Pendant qu'on lui fait un plâtre, Lisa sommeille, sous l'effet des narcotiques. Seule une infirmière lui demande comment c'est arrivé et elle se contente rapidement de la réponse de Lisa, qui affirme être tombée dans l'escalier.

Après tout, c'est la vérité. En partie, du moins.

Quand Lisa et sa mère rentrent très tard le soir, la maison est plongée dans l'obscurité. Par contre, la grange est éclairée.

Après avoir aidé Lisa à monter l'escalier et à se mettre au lit, sa mère caresse doucement ses cheveux courts. Mais son regard fuit celui de Lisa.

— Je suis désolée, Lisa, finit-elle par dire. Je suis désolée que ça se soit passé comme ça. Tu n'y es pourtant pour rien.

Lisa se tourne vers le mur et attend que sa mère la laisse seule.

Elle dort par intervalles, tour à tour tourmentée par des cauchemars et obsédée par ses pensées.

Chapitre 11

Lisa déteste penser à sa jambe, car c'est à partir de ce moment-là que les choses ont empiré. Il y a quand même un bon côté à cet accident: c'est ce qui lui a permis de faire la connaissance de Jacquot.

Une semaine après sa chute, Lisa se réveille après une nuit agitée. Sa jambe lui fait toujours mal et elle ne s'est pas encore habituée à son plâtre.

C'est le jour de son anniversaire. Elle a seize ans. Pourtant, c'est une journée comme les autres, c'est-à-dire pas très excitante. C'est samedi. Lisa n'est pas retournée à l'école depuis l'accident et les examens commencent bientôt. À la maison, l'atmosphère est encore plus tendue. Son père ne vient même plus souper; il ne rentre que très tard le soir. Et quand il est là, il n'accorde même pas un regard à Lisa. Quant à sa mère, elle a les traits tirés et a l'air nerveuse.

«Bonne fête, Lisa», se dit-elle. Elle décide de descendre déjeuner, puis de s'offrir quelques heures de lecture avant d'étudier.

Mais sa mère a déjà fait des plans.

— Bonne fête, Lisa ! dit-elle avec une gaieté exagérée quand Lisa entre dans la cuisine. Je t'ai préparé du pain doré avec des fraises et de la crème fouettée. Ensuite, on ira acheter ton cadeau de fête.

Elle hésite, l'air embarrassé.

— Ton père est déjà au travail, mais il m'a demandé de te souhaiter bonne fête.

« Tu m'en diras tant ! pense Lisa. Il ne me regarde même pas et voilà qu'il veut me souhaiter bonne fête ! » De toute façon, elle mettrait sa main au feu que son père a complètement oublié quel jour on est. Pourquoi se souviendrait-il de l'anniversaire d'une fille dont il ne peut même pas tolérer la présence ?

Lisa ouvre l'enveloppe posée à côté de son assiette. *Joyeux anniversaire à une fille formidable ! Avec affection, papa et maman.*

C'est l'écriture de sa mère.

— Je me suis dit que, maintenant que tu as seize ans, tu aimerais peut-être choisir ton cadeau toi-même, lui dit sa mère pendant qu'elle mange. Tu peux choisir ce que tu veux, ce qui te rendra heureuse. À condition de ne pas dépasser la limite de ma carte de crédit !

— J'ai besoin de rien, dit Lisa qui n'aime pas ce qu'elle perçoit dans la voix de sa mère.

Est-ce de la culpabilité ?

— Alors on achètera quelque chose dont tu as envie, si tu n'as besoin de rien. J'insiste.

— J'ai de la difficulté à marcher avec mes béquilles.

— Tu t'en tireras très bien. Et ça va te permettre de t'exercer avant de retourner à l'école lundi.

Lisa finit par céder ; une heure plus tard, elles sont au centre commercial. Lisa se dit qu'elle trouvera une robe ou un pantalon et qu'elle dira à sa mère que c'est ce qu'elle veut. Ça réglera le cas. Sincèrement, elle s'en fiche complètement. Elle n'a envie de rien.

Mais au bout d'une heure, Lisa n'a rien trouvé qu'elle peut même faire semblant d'aimer. De toute façon, elle ne peut pas essayer de pantalon avec son plâtre et l'essayage d'une robe demande plus d'équilibre qu'elle n'en a pour le moment.

Sa mère remarque son manque d'enthousiasme.

— Allons voir les bijoux. Ce serait un cadeau de fête parfait pour tes seize ans. Tu aurais quelque chose que tu pourrais garder en souvenir de tes seize ans.

Lisa n'est pas certaine d'avoir envie de se souvenir de ses seize ans, mais elle la suit. Elles entrent dans une bijouterie et sa mère se dirige tout de suite vers les perles. Elle demande à la vendeuse de lui montrer un collier et caresse les perles blanches. Lisa l'observe.

— Qu'est-ce que tu en penses ? demande sa mère en lui tendant le collier.

Lisa s'efforce de lui répondre avec diplomatie. Dans son esprit, les perles conviennent aux femmes d'un certain âge qui portent des tailleurs ou des robes. Elle ne peut s'imaginer porter un rang de perles avec des jeans et un tee-shirt.

— Je ne pense pas avoir les vêtements qu'il faut pour aller avec, dit-elle enfin.

— Tu as raison, dit sa mère en remettant le collier à la vendeuse. Qu'est-ce que tu dirais d'une bague ? Regarde celle-ci.

Elle demande à la vendeuse de lui montrer une bague ornée de trois saphirs.

Lisa l'essaie ; la bague a l'air immense à son doigt fin. Les pierres bleues paraissent froides, glaciales même. Elles la font frissonner.

— Non… dit-elle en l'enlevant rapidement.

Dix minutes plus tard, Lisa et sa mère sortent du magasin les mains vides.

— Il y a une autre bijouterie par là, dit sa mère. Je suis certaine qu'on trouvera quelque chose cette fois.

Lisa a envie de dire à sa mère que c'est inutile, mais elle sait que sa mère est déterminée à lui acheter un cadeau. « Je vais prendre la première chose qui me plaît un peu et qui n'est pas trop chère », pense Lisa.

En chemin, elles passent devant l'animalerie. Comme toujours, Lisa s'arrête pour regarder les chiots dans la vitrine. Cette fois, ce sont de petits cockers aux grands yeux bruns et aux oreilles tombantes.

— Non, Lisa, dit sa mère en secouant la tête. Tu

sais bien que ton père ne nous laisserait pas avoir un chien.

«Je croyais que je pouvais choisir ce que je voulais», se dit Lisa.

Comme si elle avait deviné ses pensées, sa mère poursuit:

— Tu sais bien qu'un chien ne peut s'empêcher de japper et de faire des bêtises; ça dérangerait ton père.

Lisa regarde dans l'autre vitrine et aperçoit des chatons persans. Elle fond devant leur fourrure blanche et duveteuse et leurs immenses yeux bleus. Elle regarde sa mère d'un air interrogateur.

— Ton père est allergique aux chats, Lisa. Tu le sais. Nous en avons déjà discuté.

Tenace, Lisa entre dans l'animalerie. Elle pourrait peut-être s'acheter un poisson rouge. Il ne dérangera pas son père et Lisa n'a encore jamais entendu parler d'allergie aux poissons rouges. «Bonne fête, Lisa, se dit-elle. Amuse-toi bien avec ton poisson rouge.»

Tandis qu'elle passe devant la caisse, une tache verte sur le comptoir attire son attention. Le jeune employé se met à rire lorsqu'un oiseau grimpe sur son doigt, puis remonte le long de sa manche jusque sur son épaule. L'oiseau se colle contre sa joue et lui mordille doucement l'oreille.

Lisa l'observe, fascinée.

— Quelle sorte d'oiseau est-ce? demande-t-elle au jeune homme.

— Lui ? C'est un inséparable à tête grise. J'ai bien peur qu'on l'ait trop gâté. Tu t'y connais en oiseaux ?

— Non.

— Les oiseaux de cette espèce font partie de la famille des perroquets et ils sont reconnus pour être apprivoisés et sociables. Ils adorent la compagnie des humains et ils sont très attachés à leur propriétaire. Ce sont de petits oiseaux comme on n'en voit pas souvent.

— Pourquoi est-ce qu'il ne s'envole pas ? demande Lisa.

Amusée, elle regarde l'oiseau trottiner sur le comptoir, saisir un capuchon de stylo dans son bec et le laisser tomber par terre. Il se penche au bord du comptoir pour mieux voir.

— Il a les ailes coupées, explique l'employé. Viens, je vais te montrer.

Il saisit doucement l'aile de l'oiseau et la déploie. L'oiseau le regarde à peine, pas du tout offensé.

— On coupe l'extrémité des cinq premières plumes qui lui permettent de voler. De cette façon, il peut encore voler de courtes distances, mais il ne peut pas prendre de l'altitude. Il vole suffisamment pour ne pas se blesser s'il tombe, mais c'est tout.

— Est-ce que ça lui fait mal quand on lui coupe les ailes ?

— Pas du tout. Il n'y a pas de terminaisons nerveuses dans les plumes. En plus, il gagne beaucoup de liberté en ayant les ailes coupées parce qu'on n'a pas besoin de le mettre en cage.

— Est-ce qu'il peut parler ? demande Lisa.

— On peut apprendre à parler à ces oiseaux-là. Ils ne sont pas aussi doués que les plus gros perroquets, mais ce sont des oiseaux très brillants.

Lisa observe l'oiseau qui, à l'aide de son bec, tente de soulever le couvercle d'une petite boîte en plastique posée sur le comptoir.

— C'est sa boîte de biscuits, explique le jeune homme. On lui en donne de temps en temps pour le récompenser. Il les adore.

— Qu'est-ce qu'il mange ?

Elle se met à rire en voyant l'oiseau qui réussit à soulever le couvercle et commence à grignoter un biscuit.

— Des fruits frais et des graines. Et il boit de l'eau.

— Lisa, intervient sa mère en secouant la tête.

— Est-ce qu'il est bruyant ? demande Lisa.

— Il t'avertira sûrement s'il veut de l'attention, mais il ne crie pas sans raison. En plus, il se couche à heure fixe. C'est très drôle. À dix-huit heures trente tous les soirs, il entre dans sa cage, monte sur le plus haut perchoir et s'endort. Peu importe l'activité dans le magasin.

Lisa tend le doigt vers l'oiseau, qui a terminé sa bouchée de biscuit. Il y grimpe tout de suite et hoche la tête pour mieux la dévisager. Il pousse un petit cri, puis lui mordille doucement le doigt. Lisa le fait monter sur son épaule et il se blottit rapidement sous son menton. Il émet un grognement sourd, comme s'il ronronnait.

Il n'en faut pas plus pour que Lisa craque.

— Voilà ce que je veux pour ma fête, annonce-t-elle en se tournant vers sa mère. Cet oiseau, c'est la seule chose que je désire.

— Lisa, proteste sa mère avec désespoir. Tu sais bien que ton père ne voudra pas d'un oiseau.

Un ressentiment profond qu'elle n'a jamais éprouvé auparavant monte en elle. Pourquoi son père est-il toujours dans son chemin ? Elle ne peut donc pas faire ce qu'elle veut, pour une fois ? Qu'est-ce que ça peut bien faire à son père qu'elle adopte ce petit oiseau vert ? Il dormira déjà quand son père rentrera.

— Je le garderai dans ma chambre. Il ne s'apercevra même pas qu'il y a un oiseau dans la maison.

— Lisa, allons voir les bijoux. À moins que tu préfères un livre ou des souliers ?

— Cet oiseau est la seule chose au monde qui me ferait plaisir, déclare-t-elle.

L'oiseau est demeuré dans son cou, comme s'il lui appartenait déjà. Lisa sent battre son tout petit cœur.

— Lisa, s'il te plaît, sois raisonnable.

C'est trop. Quelque chose explose en elle.

— Est-ce que mon père a été raisonnable quand il m'a fait ça ? demande Lisa doucement en regardant son plâtre. Est-ce qu'il a pensé à mon bonheur en me faisant ça ? ajoute-t-elle en remontant la manche de son chemisier.

Les ecchymoses sont toujours visibles sur son bras.

Sa mère pâlit et se tourne vers l'employé pour voir s'il a entendu. Lisa s'en moque. Elle sait qu'elle est un peu injuste avec elle, mais elle s'en fiche aussi. Où était-elle quand son père l'a traînée dans l'escalier ? C'est sa mère. N'est-elle pas censée la protéger ?

Leurs regards se croisent. Lisa ne bronche pas et c'est sa mère qui finit par détourner les yeux.

— Combien coûte-t-il ? demande cette dernière à l'employé.

Lisa a gagné.

— Il y a une chose que tu dois savoir, lui dit sa mère pendant que l'homme emballe la cage et la nourriture. Nous pouvons rapporter l'oiseau s'il y a un problème.

Lisa sait exactement à quel problème sa mère fait allusion. Mais elle ne veut même pas y penser. Elle ne dit rien et gratte la tête de l'oiseau.

— Je voulais que tu le saches, ajoute sa mère.

— Merci pour le cadeau, dit Lisa d'une voix douce et sérieuse.

— Oh ! Lisa ! Il y a tant de choses que tu ne comprends pas. Je veux que tu sois heureuse. Je veux te voir sourire.

— J'aime cet oiseau, dit Lisa. Merci.

L'oiseau reste perché sur son doigt tandis qu'elles sortent du centre commercial. Il regarde autour de lui, les yeux brillants. Il n'a pas peur du tout. L'employé a voulu le mettre dans une boîte, mais Lisa a refusé. Elle sait qu'il n'aurait pas aimé ça.

Lisa et sa mère ne disent rien pendant le trajet du retour. Lisa examine le petit oiseau vert et sa mère, elle, est perdue dans ses pensées.

Chapitre 12

— Max ? Arthur ? Loulou ?

Au déjeuner, le lendemain matin, Lisa essaie de trouver un nom à son oiseau, qui se régale d'un morceau de pomme.

— Lisa, tu ferais mieux d'attendre avant de trop t'attacher à lui, dit sa mère.

Et ça recommence ! La menace de la réprobation de son père plane toujours au-dessus d'elle. Pourtant, l'oiseau a réussi à passer la nuit dans la maison sans être découvert. En rentrant hier, Lisa a passé des heures à chercher le meilleur endroit pour installer sa cage. L'oiseau est resté perché sur son épaule, le regard brillant et curieux. Comme l'employé de l'animalerie l'avait dit, il s'est réfugié dans sa cage à dix-huit heures trente, est monté sur le plus haut perchoir et s'est endormi.

Quand Lisa s'est levée ce matin, l'oiseau a poussé un cri perçant qui l'a fait accourir. Elle ne voulait pas risquer que son père l'entende, même si elle savait qu'il était probablement déjà dans la grange en train de peindre. L'oiseau s'est calmé dès l'instant où Lisa l'a posé sur son épaule. Et maintenant, il semble manger de bon appétit.

— Essaie de comprendre, dit sa mère.

— Comprendre quoi ?

— Que ton père n'a pas eu une vie facile. Pendant longtemps je n'ai rien su de son passé. Il n'aime pas en parler.

— Pourquoi refuserait-il de me laisser garder mon oiseau ? Est-ce que c'est trop demander ?

— Non, Lisa. Ce n'est pas ça. Ce n'est pas ça du tout.

— Alors explique-moi. Aide-moi à comprendre.

— Je ne sais pas jusqu'où je peux aller, dit sa mère qui tourne le dos à Lisa et regarde par la fenêtre en direction de la grange.

Il n'y a pourtant aucun risque que son père les surprenne. Il ne sort jamais pendant la journée.

— C'est mon père, insiste Lisa. Vous êtes ma seule famille. J'ai le droit de savoir.

— Je suppose, oui. J'aurais peut-être dû te parler de ça avant.

Lisa attend. Il paraît s'écouler une éternité avant que sa mère se remette à parler.

— Les parents de ton père n'étaient pas des gens instruits ni raffinés. Ton grand-père était mineur et ta grand-mère travaillait à l'épicerie du village où ils habitaient. C'était des gens honnêtes et travailleurs, mais qui n'étaient pas allés à l'école longtemps. Ils ne savaient pas quoi faire de quelqu'un comme ton père.

— Est-ce qu'il est fils unique ?

— Oui. Sa mère a eu beaucoup de difficulté à le mettre au monde et elle n'a jamais pu avoir d'autre enfant. Je pense que ton grand-père était très déçu, car il rêvait d'une famille nombreuse.

— Il est donc enfant unique, comme moi, dit Lisa en pensant qu'ils ont au moins une chose en commun.

— Oui, mais je ne crois pas qu'ils étaient très heureux.

« Comme nous ? » se dit Lisa.

— Les parents de ton père, en particulier ton grand-père, n'ont jamais accepté le fait que ton père aimait dessiner et voulait devenir peintre. En fait, son père le battait chaque fois qu'il le trouvait en train de dessiner. Il disait que c'était une perte de temps et qu'il ferait mieux de travailler pour gagner de l'argent et aider sa famille. Dès l'âge de dix ans, ton père était obligé de travailler dans les fermes des environs après l'école et pendant l'été.

— Mais il a continué à dessiner ?

— Oui. Il dit que c'était plus fort que lui. Il en avait besoin. Même s'il devait cacher ses dessins, il trouvait toujours un moyen de dessiner.

Son père et elle ont peut-être plus d'une chose en commun, après tout. Même si Lisa, elle, n'a aucun talent.

— Les choses ont empiré à l'adolescence. Ton grand-père a trouvé les dessins de ton père et il l'a accusé d'être homosexuel. Il ne pouvait pas comprendre quelqu'un d'aussi différent de lui. Il souhaitait que son fils suive ses traces, mais ton père ne l'entendait pas comme ça.

— Et sa mère ?

— Elle travaillait de longues heures et ton père était très souvent seul. Il ne parle pas beaucoup d'elle, mais j'ai l'impression qu'elle était plutôt du côté de son mari. Elle voulait qu'il s'installe, qu'il se trouve un bon emploi et qu'il marie une fille du village qui lui donnerait des petits-enfants.

— Et comment il s'en est sorti ?

— Il s'est enrôlé dans l'armée américaine.

— Je savais pas, dit Lisa, stupéfaite.

Elle a du mal à imaginer son père en uniforme militaire, habillé comme tous les autres et obéissant aux ordres.

— Je l'ai su seulement après notre mariage, admet sa mère. C'est un sujet qu'il refuse catégoriquement d'aborder. Tout ce que je sais, c'est qu'il a eu une engueulade terrible avec son père après avoir terminé son secondaire. Ses parents refusaient de lui donner de l'argent pour qu'il poursuive ses études, alors que lui voulait quitter son village plus que tout au monde.

— Mais pourquoi il s'est engagé dans l'armée américaine ?

— Il voulait partir le plus loin possible. Il a été envoyé tout de suite au Viêtnam.

— Mon père est allé au Viêtnam ?

Il est allé combattre dans la jungie ? Elle pense

aux films qu'elle a vus et elle n'arrive pas à imaginer son père dans ces décors.

— Il y est allé pendant la dernière année de la guerre. Il est revenu quelques mois avant la signature du traité de paix. C'est tout ce que je sais, Lisa. Il a mis une croix sur cette partie de sa vie.

Des tas de questions se bousculent dans la tête de Lisa. Est-ce qu'on lui a tiré dessus ? A-t-il tué quelqu'un ? A-t-il perdu des amis à la guerre ? Est-ce que c'était aussi horrible que ça en a l'air dans les films qu'elle a vus ?

Elle n'aura probablement jamais de réponses à ces questions. Après tout, son père et elle ne parlent jamais de choses ordinaires, comme l'école. Comment l'amener à parler du Viêtnam ?

— Qu'est-ce qui s'est passé ensuite ?

— Il est revenu et a fait ses études en histoire de l'art. Il peignait dès qu'il avait un moment libre et il a fini par enseigner au cégep où je l'ai connu. Tu connais la suite.

— Et ses parents ?

Sa mère hésite et se tourne vers Lisa.

— Sa mère est morte d'un cancer quand il était dans l'armée.

— Et son père ?

— Il vit encore, répond-elle après une longue pause.

— Il vit encore ? J'ai un grand-père ?

— Oui, mais ton père ne l'a pas vu et ne lui a pas reparlé depuis le jour où il a quitté la maison pour s'engager dans l'armée.

— Alors il ne te connaît pas ? Il ne sait pas que j'existe ?

— J'en doute. Ton père n'a jamais voulu qu'il sache quoi que ce soit à propos de sa vie.

— Tu ne penses pas qu'il serait content d'apprendre que son fils est devenu célèbre ?

— C'est une question que j'ai renoncé à aborder avec ton père. Il refuse de reprendre contact avec lui. Il dit qu'il ne reconnaîtrait même pas son père s'il le croisait dans la rue et que c'est très bien ainsi.

— C'est triste ! dit Lisa.

— Je sais, mais c'est ce que ton père a décidé.

« Alors ce sera comme ça », pense Lisa.

Elle savait déjà que ses grands-parents maternels étaient morts à un an d'intervalle quand sa mère était au début de la vingtaine. Elle ne les a jamais connus. Elle a présumé que les parents de son père étaient morts aussi, puisqu'elle n'avait jamais entendu parler d'eux avant aujourd'hui.

Elle a un grand-père ! Elle qui rêvait d'avoir des grands-parents quand elle était toute petite ! Des grands-parents qui la gâteraient et lui donneraient des cadeaux. Des grands-parents qu'elle irait visiter pendant les vacances d'été.

Et voilà qu'elle apprend qu'elle a un grand-père qui ne sait même pas qu'elle existe et qui s'en moquerait probablement, de toute façon.

Tant pis pour les belles histoires qu'elle a lues dans les livres !

La mère de Lisa ne dit plus rien. Au bout de quelques instants, elle s'agite et paraît nerveuse. Elle part en disant qu'elle a des courses à faire. L'oiseau perché sur son épaule, Lisa s'empare de ses béquilles et sort dans la cour. Elle s'installe sous un arbre et laisse l'oiseau s'aventurer sur les branches les plus basses tout en gardant un œil sur lui.

Peut-être qu'elle comprendra mieux les colères de son père, maintenant. Mais elle, qu'est-ce qu'elle vient faire là-dedans ? Pourquoi est-ce que son père ne l'aime pas ? Parce que son propre père ne l'aimait pas non plus ? Ou est-ce parce qu'elle le déçoit tout comme il a déçu son père ?

Quelle partie de cette histoire de famille Lisa et son père sont-ils en train de revivre ?

Lisa réfléchit, essayant de trouver des réponses pendant que le petit oiseau vert s'amuse dans l'arbre au-dessus d'elle.

Chapitre 13

L'été se déroule bien. Lisa passe des heures à jouer avec Jacquot. C'est le prénom qu'elle a fini par lui donner. Elle lui apprend à parler. À force de répéter « allô Jacquot » des milliers de fois, Lisa réussit à le convaincre d'en faire autant. Après quelques semaines, il rallonge son discours : « Allô allô Jacquot Jacquot Jacquot. » Un jour, il répète même : « Qu'est-ce que tu fais ? » Quand Lisa s'allonge sur son lit pour lire, il se couche sur son ventre ou se blottit dans son cou. Et lorsque Lisa fait enlever son plâtre et recommence à marcher un peu plus longtemps chaque jour pour fortifier sa jambe, Jacquot l'accompagne, grimpant sur son épaule ou sur sa tête. Avec ses livres et Jacquot, Lisa ne s'ennuie pas.

Quant à son père, il est devenu presque invisible. Il se lève avant l'aube pour aller travailler dans la grange, complètement absorbé par une nouvelle toile qui, selon la mère de Lisa, sera un chef-d'œuvre. Il est souvent minuit passé quand il rentre à la maison. La mère de Lisa va lui porter à manger de temps en temps. Il pourrait vivre à l'étranger et ça ne ferait aucune différence.

Mais dans la mesure où ça permet à Lisa de garder Jacquot, elle considère qu'elle n'a pas à se plaindre.

À part sa mère, il n'y a que deux personnes qui connaissent l'existence de Jacquot: Félix et sa grand-mère.

Du fond de sa cachette, Lisa ne peut empêcher ses pensées de faire un bond dans le temps. Elle se rappelle comment tout ça a commencé.

— Lisa, j'ai un grand service à te demander. Je sais que tu voudras pas le faire, mais je veux que tu m'écoutes avant de dire non. C'est pas une si mauvaise idée et ça rendra quelqu'un que j'aime beaucoup très très heureux, ce qui te ferait plaisir aussi, hein?

Félix la bombarde de mots quand elle s'assoit à sa place au cours de français.

Lisa ne peut s'empêcher de sourire. L'enthousiasme délirant de Félix lui donne l'air d'un gamin. Ça fait changement des autres gars qui jouent les durs et qui ne peuvent pas dire deux mots sans sacrer.

— Quel service? demande-t-elle.

— C'est la fête de ma grand-mère la semaine prochaine et il faut que je lui trouve un cadeau très spécial.

La cloche annonce le début du cours.

— Rejoins-moi devant la sortie près des terrains de tennis à l'heure du dîner et je t'expliquerai. S'il te plaît, Lisa!

Elle fait signe que oui et passe le reste de l'avant-midi à se demander pourquoi elle a accepté. À midi, pourtant, elle se rend à l'endroit convenu. Le visage de Félix s'éclaire d'un grand sourire quand il l'aperçoit.

— Je me disais qu'il y avait une chance sur cinquante que tu viennes. Merci, Lisa. Tiens, c'est un pot-de-vin.

Il la guide vers un banc près des terrains de tennis et lui tend un sac de papier froissé.

— Il a passé un mauvais quart d'heure dans mon sac à dos ce matin. Désolé.

Lisa ouvre le sac et en retire un morceau de gâteau enveloppé d'une pellicule plastique.

— C'est ma spécialité: un gâteau aux pommes et à la cannelle, annonce Félix avec fierté.

— C'est toi qui l'as fait? demande Lisa en le développant et en en prenant une bouchée. Il est délicieux.

— T'as pas le droit d'être étonnée. C'est une réaction sexiste, dit Félix d'un ton indigné. Tu penses que je sais pas faire un gâteau parce que je suis un gars? J'étais haut comme trois pommes quand ma grand-mère m'a montré à faire des gâteaux.

Lisa ne peut s'empêcher de sourire.

— C'est justement à cause d'elle que je t'ai offert ce pot-de-vin. Tu comprends, je l'adore. J'ai passé la moitié de ma vie chez elle. Si mes parents m'avaient laissé faire, j'aurais habité là. On est comme les deux doigts de la main. Elle a presque soixante-dix ans, mais elle en paraît quarante. Elle va aux fraises, elle fait des marinades, elle écoute Musique Plus et elle fait le meilleur pain du monde.

Le visage de Félix s'illumine quand il parle de sa grand-mère.

— Je veux lui offrir quelque chose de très spécial. J'ai cherché, mais j'ai rien trouvé à mon goût.

— Fais-lui un gâteau aux pommes, suggère Lisa.

— C'est sûr que je vais lui préparer un gâteau de fête, voyons ! Mais il me manque le cadeau parfait. Et je pense que j'ai trouvé. Le seul problème, c'est que tu dois m'aider.

— Moi ? À faire quoi ?

— Ma grand-mère adore les animaux. Je te jure qu'elle leur parle et qu'ils lui répondent. J'ai jamais rien vu de pareil.

— Est-ce qu'elle aime les oiseaux ?

— Il y a un merle qui l'attend dans sa cour tous les jours. Ils font la conversation en sifflant, dit Félix en riant. L'oiseau se pose dans l'arbre devant la fenêtre de la cuisine et il l'attend. Je l'ai vu de mes propres yeux. Je te raconte pas d'histoires.

— Moi aussi, j'ai un oiseau, dit Lisa.

C'est sorti tout seul.

— C'est vrai ? Quelle espèce ?

Hésitante, Lisa lui parle un peu de Jacquot, de son espèce, de son caractère. Puis elle se laisse emporter par son sujet et s'aperçoit au bout de cinq minutes qu'elle ne s'est même pas arrêtée pour reprendre son souffle. Elle ne parle jamais autant avec les gens. Mais Félix est différent.

— Ma grand-mère t'adorerait, dit Félix. Je suis sûr qu'elle serait contente de faire la connaissance de Jacquot.

« Ce ne sera pas possible, se dit Lisa. J'en ai déjà beaucoup trop dit. »

— Voilà ce que je voudrais, dit Félix. J'aimerais que tu fasses un de tes magnifiques dessins pour ma grand-mère. Je le ferais encadrer et ce serait le plus beau cadeau que je lui aurais jamais fait. Dis oui, s'il te plaît. Je vais te payer. Je vais préparer un gâteau juste pour toi. Je serai ton fidèle serviteur pour les quatorze prochaines années. Qu'est-ce que t'en dis ?

Le cœur de Lisa se serre. Elle ne peut pas faire ça.

— Je suis désolée. Je donne jamais mes dessins. Ils sont pas assez beaux.

— Lisa, celui que j'ai vu était super. Je t'en prie, dis oui.

— Je peux pas.

Elle a mal au ventre rien qu'à penser que des gens pourraient voir ses dessins et se moquer d'elle.

— Je comprends pas pourquoi tu refuses, insiste Félix. Ça te ferait pas mourir.

« C'est ce que tu crois », pense Lisa.

Chapitre 14

Mais qu'est-ce qu'elle lui trouve donc, à ce Félix ? Ce jour-là, Lisa passe la soirée à dessiner. Elle fait une dizaine de dessins, jamais satisfaite du résultat. Elle n'en croit pas ses yeux quand elle s'aperçoit qu'il est une heure du matin. Elle se prépare à se coucher, mais elle ne déchire pas le dernier dessin qu'elle a fait. Elle n'en a jamais réussi d'aussi détaillé : de petites créatures bien fignolées se cachent dans tous les coins.

Mais ce n'est pas assez beau ; elle le sait. Elle imagine les commentaires de son père : « Banal, puéril, mal fait. » Elle le jettera demain matin.

Mais le lendemain, elle l'insère plutôt entre deux pages d'un manuel et l'apporte à l'école. Elle ne saura jamais ce qui l'a poussée à déposer la feuille sur le bureau de Félix.

— Lisa, c'est super ! Ma grand-mère va capoter ! Je sais pas comment te remercier.

Lisa voulait seulement lui montrer son dessin. Elle ne pensait pas le lui donner. Mais Félix déborde d'enthousiasme. Qu'est-ce que ça peut bien faire, après tout ? Sa grand-mère le fourrera probablement au fond d'un tiroir. Son dessin n'est pas assez beau pour être accroché.

— Signe-le, Lisa.

— Non.

— Pourquoi pas ? Tu devrais en être fière. Si je pouvais faire un aussi beau dessin, je dirais à tout le monde que c'est le mien.

— Non, répète Lisa. Je peux pas le signer. Je le ferai pas.

Félix doit sentir sa détermination, car il n'insiste pas.

— Faut que tu viennes faire un tour chez ma grand-mère. Je suis certain qu'elle mourra d'envie de te connaître après avoir vu ton dessin.

— Je rentre chez moi tout de suite après l'école, dit Lisa.

— Je pourrais aller te reconduire après. Je pense que tu t'entendrais bien avec ma grand-mère, surtout que vous avez toutes les deux la passion des oiseaux.

— J'en doute pas, dit Lisa qui ne veut pas s'engager.

Elle est soulagée d'entendre la sonnerie de la cloche. Comment peut-elle envisager une seule seconde d'aller chez la grand-mère de Félix ? Ce n'est pas prudent.

Le lendemain, Félix l'attend quand elle descend de l'autobus. Il a l'air calme, comme s'il avait perdu toute son exubérance.

— Merci beaucoup, dit-il en lui tendant une rose rouge.

— C'était pas nécessaire.

— Je sais. Mais je voulais te l'offrir.

Félix regarde Lisa en secouant la tête tandis qu'ils se dirigent vers l'entrée principale de l'école.

— Pourquoi est-ce que tu rends tout si difficile ?

— Qu'est-ce que tu veux dire ? demande Lisa avec nervosité.

— Est-ce que c'est parce que tu m'aimes pas ? J'arrête pas de te tourner autour et de t'inviter à faire des trucs avec moi, mais tu trouves toujours une excuse. Si tu m'aimes pas la face, t'as rien qu'à me le dire et je t'« achalerai » plus.

— Je t'aime bien, laisse échapper Lisa malgré elle.

Elle aurait pu se débarrasser de lui pour de bon, mais elle est incapable de lui faire de la peine. Pas à lui.

— Eh bien, ça me soulage d'entendre ça. Ça te tente de partir loin d'ici ? On pourrait se marier et avoir quatorze enfants.

— Quoi ?

— O.K. Oublie ça. Tu préfères qu'on aille au cinéma en fin de semaine ?

Mais Félix l'interrompt avant qu'elle puisse répondre.

— Penses-y, O.K. ?

Il ne lui laisse pas le temps d'ajouter un mot, lui sourit et file.

Bon. Il faudra qu'elle attende le cours de français pour lui dire que c'est non.

Elle marche dans le couloir, le cœur rempli d'amertume.

Pourquoi ne peut-elle pas mener une vie normale ?

Pourquoi doit-elle toujours garder ses distances avec les autres ?

Pourquoi ne peut-elle pas faire des choses simples comme aller au cinéma avec un copain le samedi soir ? Est-ce que c'est trop demander ?

Bien sûr que c'est trop demander.

Après tout, il n'y a plus rien de normal dans sa vie.

Pas depuis ce jour.

Pas depuis ce jour où son père a failli la tuer.

Chapitre 15

« Faites que ça finisse », pense Lisa en prêtant l'oreille. Elle n'a pas entendu les pas depuis un bon moment, mais elle ne veut même pas envisager la possibilité qu'ils ne reviendront pas et qu'elle est hors de danger.

Elle n'est pas hors de danger.

Plus jamais elle ne croira qu'elle l'est.

Elle avait cru trouver la solution en déménageant ici, mais elle s'est trompée, de toute évidence. Sinon, serait-elle tapie au pied d'un arbre, cachée sous les feuilles, à revoir les principaux épisodes de sa vie avant de mourir ?

Comme elle a été idiote d'imaginer qu'elle pouvait s'en sortir !

De toute façon, Jacquot s'agitera d'une minute à l'autre et ses cris attireront sûrement l'attention. Lisa ne peut pas le blâmer. Il a faim, il a froid et il ne sait plus où il en est.

Comme elle.

Lisa se sent triste. Elle ne reverra plus le sourire de Félix. Elle ne lui a jamais dit à quel point ses sourires étaient importants pour elle. Maintenant, il est trop tard. « Félix, pense-t-elle, merci. Tu as été mon seul rayon de soleil dans cette vie d'enfer. »

À part Jacquot, bien sûr. « Merci », dit-elle silencieusement au petit oiseau vert qui remue dans sa main. « Tu m'as fait rire. Tu m'as appris que ce n'est pas tant la taille que l'esprit qui compte. Tu as plus de volonté que des créatures cent fois plus grandes que toi et tu as prouvé que l'important, c'est la sécurité, la chaleur, la détermination et l'affection. Tout ce que tu me demandes, c'est de te nourrir, de te protéger, de t'aimer et de te laisser un peu de liberté. »

Ce n'est pas trop demander quand on est un petit oiseau vert. Mais ça l'est quand on s'appelle Lisa.

Le temps est venu de revivre ce jour qui a changé sa vie au point de la conduire ici.

Qu'est-ce qu'elle aurait pu faire différemment pour éviter tout ça ?

Ce matin-là, Lisa et Jacquot marchent dans la cour vers l'arbre préféré de l'oiseau. Il aime s'y poser, sauter de branche en branche et picoter l'écorce.

Ils ont presque atteint l'arbre lorsque la porte de la grange s'ouvre toute grande. Lisa reste figée. Il n'est que dix heures. Pourquoi son père sort-il ? Si elle avait su, elle serait restée dans sa chambre.

Son père a l'air distrait tandis qu'il traverse la cour. Il porte des jeans et un tee-shirt noir barbouillé d'orange, de rouge et de vert.

« Peut-être qu'il ne nous verra pas », se dit Lisa. Elle ne bouge pas. Jacquot, quant à lui, regarde le père de Lisa avec curiosité. Il se penche dans sa direction et pousse un cri.

Le père de Lisa s'arrête brusquement. C'est comme lorsqu'on appuie sur le bouton pause pendant un film. Son père est à une quinzaine de mètres d'elle, mais Lisa sent son regard se river sur le sien. Il l'a vue, d'accord, mais il continuera sans doute son chemin. Il ne lui a pas parlé depuis des mois, plus précisément depuis le soir où elle s'est cassé la jambe.

Jacquot pousse un autre cri et donne un petit coup de tête en guise de salut.

En moins de temps qu'il n'en faut pour le dire, son père se précipite vers eux. Lisa tend la main pour lui présenter Jacquot. « Quoi qu'il dise, il ne pourra pas m'obliger à me débarrasser de Jacquot. Il est à moi. »

— C'est mon oiseau, dit-elle quand il s'arrête devant elle. Il est gentil comme tout.

Avant qu'elle puisse continuer, son père saisit Jacquot. Lisa entend l'oiseau pousser un cri étonné quand les doigts de son père se referment sur lui.

Non. Il ne fera pas de mal à Jacquot. Elle ne le laissera pas faire.

— Donne-le-moi, crie-t-elle en faisant un mouvement vers sa main. Je te défends de le toucher.

Elle s'attend à ce que son père se mette à l'engueuler. C'est la première fois qu'elle lui parle sur ce ton. Mais son regard est froid et distant, presque vide. Il ne prononce pas un mot, mais lance Jacquot au loin d'un geste brusque. Horrifiée, Lisa regarde le petit paquet de plumes vertes s'écraser sur le sol.

— Jacquot !

Puis elle sent un bras autour de son cou. Son père l'a saisie par derrière, appuyant son avant-bras contre sa gorge. Lisa essaie de le griffer pour qu'il la lâche, car elle veut voir si Jacquot bouge encore. Elle se débat malgré toutes les idées confuses qui lui traversent l'esprit.

Puis elle entend la voix rauque de son père lui murmurer à l'oreille :

— Tu es déjà morte.

Pendant un moment, il relâche un peu son étreinte. Lisa cherche sa respiration et essaie de se baisser pour s'enfuir. « Pourquoi fait-il ça ? se demande-t-elle. Il peut être en colère parce que j'ai un animal et qu'il l'ignorait, mais pourquoi ça ? »

Elle n'a pas beaucoup de temps pour réfléchir. Elle sent les doigts puissants se resserrer autour de sa gorge.

— Tu es déjà morte, répète-t-il.

Lisa se débat en vain. Elle souffre et se sent sombrer dans l'obscurité. « Jacquot, pense-t-elle. Jacquot. »

Quand elle revient à elle, elle ne sait pas combien de temps s'est écoulé depuis qu'elle a perdu connaissance. Elle a des élancements dans la tête, et sa gorge lui fait si mal que c'est presque une torture de respirer. Elle est couchée par terre, un bras tendu. Elle ouvre les yeux, étonnée de voir la lumière du soleil. Comment peut-il faire clair alors qu'il y a quelques instants à peine tout était noir ?

Tout à coup, Jacquot apparaît dans l'herbe presque aussi haute que lui. Il est silencieux et avance à petits pas hésitants. Il pousse un petit cri en atteignant la main tendue de Lisa et en s'y blottissant.

Lisa pleure à chaudes larmes.

Elle a perdu la notion du temps quand sa mère surgit dans la cour en lui demandant ce qu'il y a. Est-elle tombée ? Est-ce que sa jambe lui fait mal ?

En position fœtale, Lisa refuse de répondre. Sa mère s'agenouille près d'elle et la force à lever la tête. Elle émet un gémissement en voyant le cou de Lisa.

— Qui t'a fait ça, Lisa ?

Lisa la regarde avec lassitude.

— Lisa, qui t'a fait ça ? Qu'est-ce qui s'est passé ?

— C'est mon père qui m'a fait ça.

Lisa a du mal à parler à cause de la douleur.

— Mon père a essayé de me tuer.

— Non, dit sa mère.

Lisa la regarde fixement. Comment ça, non ? Elle ne croit pas sa propre fille ?

Lisa se recroqueville sur le sol, son petit oiseau vert dans la main.

Chapitre 16

Horrifiée, la mère de Lisa regarde son mari sortir de la maison précipitamment et s'en aller à pied vers la route. Il ne va jamais nulle part durant la journée. Elle dévisage Lisa, atterrée, le visage ruisselant de larmes.

— Ton père t'a fait ça ? demande-t-elle en effleurant la gorge de Lisa.

— Il a dit que j'étais déjà morte et il a essayé de m'étrangler, dit Lisa, soudain très calme.

— Peut-être qu'il était seulement furieux à cause de son travail.

Lisa ne sait pas ce qu'elle éprouve exactement. Est-ce de la colère ? Ou le sentiment d'être trahie ? De la résignation ? Elle vient de dire à sa mère, la personne qui l'aime le plus au monde, que quelqu'un a tenté de la tuer, et sa mère lui trouve une excuse ? Tout à coup, c'est la colère qui l'emporte. Lisa n'a pas demandé à venir au monde, à avoir cet homme pour père et à faire partie de leur vie. Elle n'a pas fait ces choix. Quel est donc le prix qu'elle doit payer ?

Elle parvient à s'asseoir. Jacquot est toujours dans sa main et les battements rapides de son cœur la rassurent. Au moins, son père ne l'a pas tuée.

— Je ne resterai pas ici une minute de plus, dit-elle en croisant le regard de sa mère assise par terre à côté d'elle. Il va me tuer. Je ne suis pas en sécurité ici.

— Lisa, je ferai plus attention. Je garderai un œil sur toi. Je ne te laisserai pas seule avec lui.

— Ça ne suffit pas, dit Lisa en se demandant d'où lui vient cette détermination. Tu ne m'as pas protégée aujourd'hui et tu ne peux pas être toujours là.

— Oui, je le peux, Lisa. Maintenant que je sais à quel point c'est grave, je serai beaucoup plus prudente.

— Je ne peux pas vivre comme ça. Tu me trouves un autre endroit où rester, sinon je vais tout raconter à la police, à la Protection de la jeunesse ou au travailleur social de mon école. Je dirai au monde entier que mon père, le célèbre peintre, a essayé de me tuer.

— Lisa ! gémit sa mère.

Lisa se recouche par terre. Sa gorge lui fait très mal ; elle a de la difficulté à avaler. Ses mains se mettent soudain à trembler.

— Je suis désolée, Lisa, dit sa mère en lui caressant les cheveux. Je ne sais pas ce qui pousse ton père à agir comme ça, mais ça ne peut plus continuer. Je ne pourrais pas supporter qu'il t'arrive quelque chose.

« Il m'est déjà arrivé quelque chose, pense Lisa. D'abord ma jambe, puis ça. »

— Je ne sais pas où aller, continue sa mère. Je n'ai pas de famille et je ne suis pas restée en contact avec mes amies d'autrefois.

Peut-être que c'est aussi simple que ça. Son père veut que sa mère s'occupe uniquement de lui et il l'a isolée du reste du monde. Maintenant, il veut l'éloigner de Lisa aussi.

— Est-ce que tu peux marcher ? Il faut qu'on s'en aille.

Lisa se lève. Elle a la tête qui tourne. Elle marche lentement jusqu'à sa chambre, son refuge, et fond en larmes en apercevant son lit à baldaquin et ses étagères de livres.

Une fois qu'elle a accepté de ne pas pouvoir emporter tous ses livres, elle s'aperçoit qu'il n'y a pas beaucoup de choses auxquelles elle tient. Elle prend ses vêtements, ses cahiers et la nourriture de Jacquot. Elle n'a aucune photo, aucun souvenir de vacances, aucun cadeau précieux.

Sa mère n'emporte pas grand-chose non plus. Elles mettent leurs valises dans le coffre de la voiture et la cage de Jacquot sur la banquette arrière. Lisa pose une serviette sur ses genoux et garde l'oiseau avec elle. Il a l'air nerveux, mais il accepte un morceau de pomme et une gorgée d'eau avant de partir.

La mère de Lisa avoue qu'elle n'a aucune destination précise en tête. Elles vont aller vers l'ouest et rouler. À chaque kilomètre franchi, Lisa se détend un peu. Il ne les suivra pas. Il ne la trouvera pas. Elle sera en sécurité.

Au bout de quelques heures, la mère de Lisa s'arrête dans la cour d'un motel et descend pour réserver une chambre. Elle dit à Lisa de rester dans l'auto avec Jacquot, et Lisa sait bien que c'est pour éviter qu'on voie les marques cramoisies autour de son cou.

Quelques minutes plus tard, dès que Jacquot est installé, Lisa s'allonge sur le lit. Elle n'a pas faim, mais elle accepte une aspirine et un *7-Up*. Elle reste étendue en silence, puis finit par s'endormir.

Le lendemain matin, la mère de Lisa déborde d'énergie. Très tôt, elles se mettent en route vers la ville la plus proche. À neuf heures, sa mère entre dans une agence immobilière et en ressort une vingtaine de minutes plus tard, accompagnée d'une jeune femme souriante. Lisa entend sa mère lui dire qu'elle préfère la suivre dans sa propre voiture.

Le chalet que l'agente leur fait visiter est situé tout près d'une forêt, à plusieurs kilomètres de la ville. En arrivant, la jeune femme paraît étonnée de voir que Lisa porte un chandail à col roulé par une journée aussi chaude. Mais le silence de Lisa ne semble pas l'intriguer. L'agente leur énumère les avantages de la vie en forêt : le chant des oiseaux, la faune, la tranquillité des lieux et l'intimité totale qu'on retrouve à seulement quatorze kilomètres de la ville.

— Le refuge parfait, conclut-elle.

La mère de Lisa loue le chalet dès que Lisa affirme qu'elle s'y sentira en sécurité. « C'est drôle », pense Lisa. Normalement, elle n'aurait pas aimé se sentir aussi isolée — aucune autre maison n'est visible aux alentours — et entourée d'animaux sauvages. Aujourd'hui, pourtant, le fait d'être isolée la réconforte, dans la mesure où la personne qu'elle fuit ne peut pas l'atteindre.

Le chalet est entièrement meublé. Le mobilier est usé, mais confortable, et la cuisine est tout équipée. Après le départ de l'agente, la mère de Lisa s'absente pour aller acheter des serviettes et de la nourriture. Lisa choisit sa chambre ; c'est la plus petite, mais aussi celle qui offre la plus belle vue. Elle installe la cage de Jacquot devant l'une des deux fenêtres qui donnent sur la forêt.

Au retour de sa mère, elles font le tour du chalet. Le petit chemin qui y mène serpente à travers les arbres. Dans la cour arrière, les arbres sont plutôt clairsemés ; mais à quelque deux cents mètres du chalet, le sous-bois devient plus dense.

Dans l'après-midi, Lisa et sa mère se rendent à la polyvalente pour y inscrire Lisa, qui tente de maîtriser ses peurs. Après tout, elles habitent une petite ville à des heures de la maison, et son père ne se donnera sûrement pas la peine de la chercher. Et leur nom de famille, Lavoie, est assez commun. Personne ne fera le lien entre elle et son père. Elle est bien déterminée à passer inaperçue.

Pendant quelques jours, Lisa et sa mère s'affairent à s'installer dans leur nouvelle maison. Sa mère va faire des courses en ville à plusieurs reprises, tandis que Lisa apprivoise la forêt peu à peu. Elle apprend à reconnaître le cri des oiseaux et des écureuils. La douleur dans sa gorge diminue et ses bleus tournent graduellement au jaune.

Au bout de quelques jours, la mère de Lisa devient agitée, incapable de rester assise deux minutes ou de se concentrer sur quoi que ce soit. Lisa attend, sachant très bien ce qui se prépare.

— Lisa, finit par dire sa mère en faisant les cent pas dans le salon. J'ai besoin de savoir ce qui arrive à ton père. Il faut que je sache s'il est retourné à la maison.

Lisa est convaincue que sa mère a tenté de le joindre chaque fois qu'elle est allée en ville ; leur téléphone a été installé seulement aujourd'hui.

— Je ne veux pas que tu penses que je t'abandonne ou que j'approuve ce qu'il t'a fait.

« Mais tu l'aimes encore, pense Lisa en étudiant le visage tourmenté de sa mère. Si tu ne l'aimais pas, tu ne voudrais plus jamais le revoir. »

— Promets-moi seulement que tu lui diras rien, rien du tout, dit Lisa d'un ton ferme en sachant très bien qu'elle ne peut pas retenir sa mère. Il doit pas savoir où je suis.

— Je le sais, Lisa. Je ne ferai rien qui pourrait te mettre en danger. Je veux seulement savoir si…

— S'il va bien, termine Lisa à sa place.

— Oui. S'il te plaît, ne m'en veux pas.

— Je sais que tu l'aimes et que tout ton univers tourne autour de lui.

— Et de toi.

— Et de moi.

— Je serai de retour avant qu'il fasse noir, dit sa mère en saisissant ses clés et son sac.

— T'inquiète pas pour moi. Mais ne lui dis rien qui pourrait lui mettre la puce à l'oreille.

— Je t'aime, Lisa, dit sa mère en la serrant très fort dans ses bras.

Et elle s'en va.

Troublée, Lisa décide d'aller se promener au bord de la forêt. Elle ne peut pas dire que le départ de sa mère la surprend. Mais c'est difficile de comprendre qu'une mère puisse encore aimer l'homme qui a tenté de tuer sa fille.

« Mais sois logique », se dit Lisa. Encore une année de secondaire, puis elle ira au cégep et vivra sa propre vie. Ses parents pourront alors se retrouver. Son père pourra jouer les génies au tempérament d'artiste, et sa mère, continuer à incarner la force invisible derrière lui.

Ça peut marcher. Tout ce que Lisa a à faire, c'est de passer à travers la prochaine année.

Chapitre 17

L'année scolaire commence et Lisa ne trouve pas sa nouvelle école bien différente de l'ancienne. L'autobus la prend à moins d'un kilomètre de chez elle et Lisa apprécie la courte distance qu'elle doit parcourir à pied matin et soir. Ça lui donne du temps pour réfléchir.

Même si elle n'en discute jamais avec sa mère, Lisa n'est pas dupe. Elle sait très bien que, plusieurs fois par semaine, sa mère roule pendant quatre heures pour aller rejoindre son père.

La première fois que ça se produit, Lisa attend le retour de sa mère avec anxiété.

Quand celle-ci revient, elle a l'air défait et les traits tirés.

— Est-ce qu'il était là ? demande Lisa.

— Oui.

— Est-ce qu'il a dit pourquoi il a fait ça ?

— Il ne parle pas beaucoup, répond sa mère.

« La vie n'est pas trop pénible, quand on y pense, se dit Lisa. Hé ! mon vieux ! T'as failli tuer quelqu'un, mais si ça te tente pas d'en parler, c'est *cool.* Fais comme si de rien n'était. Ça passera. »

Pendant un instant, elle se demande si son père a remarqué qu'elle est partie.

Ça devient vite une routine : quand sa mère revient le soir, elles font semblant qu'elle rentre d'une longue journée au bureau. Lisa se dit que, bizarrement, son père est devenu le travail à temps plein de sa mère.

Un jour où l'autobus a beaucoup de retard, Lisa voit sa mère passer en voiture devant l'arrêt d'autobus. Sa mère a l'air coupable, comme une adolescente qui sort en cachette pour aller rejoindre un garçon que ses parents lui interdisent de fréquenter.

À l'école, Lisa met son plan à exécution. Elle n'obtient que des quatre-vingt-dix, ce qui lui permettra d'être admise à tous les cégeps, même les plus éloignés ; elle ne participe à aucune activité et elle ne se fait aucun ami. Quand les autres filles se rendent compte que Lisa n'est pas une menace pour elles, elles ne s'en occupent plus. Et quand les garçons constatent qu'elle est intelligente mais qu'elle refuse de sortir avec eux, ils ne s'en occupent plus non plus.

Sauf Félix.

Même si Lisa pense souvent à lui, elle ne peut pas devenir son amie, ce serait courir un trop gros risque. À la première occasion, Félix commencerait à poser des questions. « Parle-moi de ta famille. Qu'est-ce qu'il fait, ton père ? Où habitais-tu avant de t'installer ici ? »

Et Lisa ne pourrait pas lui répondre.

Après qu'elle lui a donné le dessin pour sa grand-mère, il insiste pour qu'elle aille au cinéma avec lui. C'est sa façon de la remercier pour ce qu'elle a fait.

Mais Lisa refuse. Le pire, c'est qu'elle ne peut pas lui dire pourquoi. Elle voit bien qu'il est blessé, mais elle ne peut pas lui dire que ça n'a rien à voir avec lui.

Pourtant, il lui plaît beaucoup. Elle se surprend à attendre le cours de français avec impatience.

— J'ai boudé pendant vingt-quatre heures quand tu as refusé de sortir avec moi, annonce-t-il un jour, mais c'est terminé.

— Tant mieux, dit Lisa doucement.

— Mais j'abandonne pas, dit Félix avec fermeté. Tu crois qu'à force de me rejeter tu vas me décourager. Mais t'as jamais eu affaire à quelqu'un comme moi.

— Non, avoue Lisa. J'ai jamais rencontré quelqu'un comme toi.

— Je me donne jusqu'à la fin de l'année scolaire pour te faire céder. Je vais sortir avec Lisa Lavoie ou mourir.

« Oh ! Félix ! pense Lisa. Ne plaisante pas avec la mort. »

— En plus, on est presque voisins, continue Félix.

Lisa a le souffle coupé. Qu'est-ce qu'il veut dire ? Est-ce qu'il l'a suivie ? Personne ne sait où elle habite. Comment a-t-il su ?

— Quoi ?

— C'est pas si étonnant, dit Félix en riant. On vit dans une petite ville, tu sais. L'agente immobilière qui vous a loué le chalet est une cousine éloignée de ma mère.

Lisa ne sait pas si elle doit être soulagée ou inquiète.

Il a appris où elle habite de manière bien innocente, mais ça signifie aussi que d'autres peuvent finir par le découvrir à leur tour. « Arrête », se réprimande-t-elle. C'est très peu probable que son père la suive. Il a ce qu'il veut maintenant. Elle est partie et il n'a même pas de sang sur les mains.

C'est quand même trop risqué de s'attacher à Félix. De toute façon, il mérite mieux qu'elle. Il lui faut une fille qui partagera sa joie de vivre et qui pourra lui raconter des anecdotes de jeunesse, et non des histoires de jambes cassées et de tentatives de meurtre. Non. Ce serait une erreur de sortir avec Félix. Et Lisa ne peut pas se permettre de faire d'erreurs.

Mais ce sourire, pourtant…

Elle est en train de penser à Félix pendant le cours de français lorsqu'on lui apporte un message.

— Lisa. Lisa !

La voix amusée de son professeur la tire de sa rêverie. Félix lui tapote frénétiquement l'épaule.

— Oui ?

— C'est un message pour toi.

Le professeur lui tend un bout de papier et une

enveloppe. Lisa se rappelle vaguement qu'un coup à la porte a interrompu le cours.

Elle se lève pour aller chercher le message. Sur le bout de papier figurent son nom, le nom de son professeur et le numéro du local. L'enveloppe est blanche, non affranchie, sans adresse de retour. Son nom y est inscrit en majuscules. Au bas de l'enveloppe est écrit: *Veuillez remettre à l'élève immédiatement.*

Lisa retourne à sa place et examine l'enveloppe avec attention. C'est peut-être un message de sa mère. Elle arrivera peut-être plus tard que d'habitude et elle a voulu prévenir Lisa pour ne pas qu'elle s'inquiète. Elle a peut-être décidé de passer la nuit là-bas.

Lisa ouvre l'enveloppe avec impatience. Pourquoi sa mère ne lui a-t-elle pas téléphoné tout simplement?

Elle déplie la feuille de papier dont un coin est déchiré.

Et elle pousse un cri après l'avoir lue.

Chapitre 18

— Lisa, qu'est-ce qu'il y a ? demande le professeur en rompant le silence qui a suivi le cri de Lisa.

— Faut que je parte, répond cette dernière en prenant ses livres.

— C'est une mauvaise nouvelle ?

Lisa n'hésite qu'une seconde.

— Oui.

— Je suis désolé. Est-ce que tu veux que je t'accompagne au secrétariat ?

— Je vais y aller avec elle, dit Félix.

— Non, proteste Lisa brusquement.

Elle ne veut pas le mêler à cette histoire.

— C'est une bonne idée, dit le professeur. Merci, Félix.

Lisa sort en coup de vent. Elle n'a pas le temps de discuter. Elle se débarrassera de Félix plus tard.

— Lisa, qu'est-ce qu'il y a ? On dirait que tu as vu un fantôme.

— Faut que j'aille au secrétariat. Je dois savoir comment cette lettre est arrivée ici.

— C'est pas un mot de ta mère ?

— Je peux pas t'expliquer. Mais ça ira. Tu peux retourner en classe.

Lisa ouvre la porte du secrétariat. Félix ne dit rien, mais il reste là.

— Excusez-moi, dit Lisa d'une voix tremblante.

— Oui ?

— On vient de me remettre cette lettre pendant le cours de français. Pouvez-vous me dire qui est venu la porter ?

La secrétaire jette un regard sur l'enveloppe dans la main de Lisa.

— Ah oui ! Un homme très séduisant est venu porter tes bulletins. Il y avait aussi une note à propos de ton arrivée dans notre école. Il a voulu savoir si tu étais inscrite ici ; quand je lui ai dit que oui, il m'a demandé de te remettre cette lettre. J'espère que ce n'est pas une mauvaise nouvelle.

— Lui avez-vous donné d'autres renseignements ? demande Lisa d'un ton désespéré. Lui avez-vous donné mon adresse ?

— Non, répond la secrétaire. Nous ne donnons pas l'adresse de nos élèves sans autorisation.

Lisa pousse un soupir de soulagement.

— Oh ! mon Dieu ! fait la secrétaire en portant la main à sa bouche.

— Quoi ?

— Il a regardé l'écran quand j'ai vérifié ton horaire à l'ordinateur.

— Et mon adresse y apparaît ?

— Oui, tout en haut.

Lisa pivote sur ses talons et se dirige vers la porte.

Félix court à côté d'elle quand elle sort de l'école à la course.

— Lisa. Lisa ! Où tu vas ? Qu'est-ce qu'il y a ?

Elle ne sait pas où elle va. Tout ce qu'elle sait, c'est qu'elle n'est plus en sécurité à l'école. Il faut qu'elle parte.

Puis l'idée lui vient d'un seul coup. Jacquot. Il faut qu'elle aille le chercher d'abord. Elle ne peut pas s'enfuir sans lui. Il est peut-être même déjà trop tard.

— Peux-tu me conduire jusqu'au chemin qui mène chez moi ? demande-t-elle à Félix.

Elle ne veut pas qu'il l'accompagne. Elle ne veut absolument pas avoir à s'inquiéter pour lui aussi.

— Je peux te conduire chez toi, si tu veux.

— Non. Jusqu'au chemin seulement, insiste Lisa.

Elle lui est reconnaissante de ne pas poser de questions. Ils courent vers la voiture de Félix et démarrent en trombe.

Lisa réfléchit pendant qu'ils roulent. Quand elle aura récupéré Jacquot, où ira-t-elle ?

Peut-être qu'elle pourrait s'enfuir avec Félix.

Non. Il ne faut pas qu'elle l'embarque là-dedans. Elle ne sait pas ce qui l'attend, mais elle se débrouillera.

— Laisse-moi continuer jusque chez toi, dit

Félix. Tu as l'air tout à l'envers et je veux pas te laisser comme ça.

— Si je compte un peu pour toi, laisse-moi descendre ici. Fais-moi confiance, Félix. Je sais ce que je fais.

— Lisa, je ferais n'importe quoi pour t'aider. Tu devrais le savoir maintenant.

— Alors laisse-moi descendre et retourne à l'école. Tout ira bien. Il faut que je voie quelqu'un, mais seule. On se reverra à l'école demain.

— Promis ? dit Félix d'un air troublé.

— Promis.

Lisa déteste lui mentir.

— Merci. Salut.

Elle descend de l'auto et attend que Félix fasse demi-tour. Puis elle se met à courir sur le chemin qui mène chez elle.

Tout semble comme d'habitude au chalet. Il n'y a pas de voiture dans la cour et personne aux alentours. Mais Lisa sait bien que ça ne veut rien dire. Elle déverrouille la porte d'une main tremblante. « S'il vous plaît. Faites que Jacquot crie quand j'ouvrirai la porte. S'il vous plaît. »

Lisa n'entend rien. Elle reste figée sur le pas de la porte, puis se précipite vers sa chambre, désespérée. Où est Jacquot ? Pourquoi est-ce qu'il ne l'appelle pas ?

La porte de sa chambre est fermée. Quelqu'un est venu, car Lisa la laisse toujours ouverte. Son cœur bat si fort qu'elle a l'impression qu'il va exploser. Mais elle trouve le courage de tourner la poignée et de pousser la porte.

Le silence l'accueille.

Lisa se rue vers la cage de Jacquot. Elle est vide. Un bout de papier déchiré a été inséré entre deux barreaux. Lisa le prend et s'effondre.

Les mêmes lettres majuscules que sur la lettre… Et le même message.

Tu es morte.

Chapitre 19

Où est Jacquot ? Malgré la détresse qui la submerge, Lisa pense à lui. L'a-t-il tué ? Le désespoir l'envahit. Mais quelque chose d'autre commence à faire surface. Est-ce la colère, l'instinct de survie ou le désir de venger Jacquot ? Lisa ne sait pas exactement ce que c'est, mais ça la pousse à agir.

Elle regarde par la fenêtre et scrute la forêt. Bien qu'elle lui paraisse plus silencieuse que d'habitude, il y a quand même des oiseaux qui jacassent. Il n'y a peut-être personne.

Lisa sait une chose : elle ne peut pas rester dans le chalet. Le fait d'être prise au piège à l'intérieur serait pire que tout ce qui pourrait lui arriver dehors. Elle jette un regard rapide autour d'elle et s'empare des cinquante dollars qu'elle a cachés dans son tiroir le jour où elle s'est installée ici.

Elle ouvre la porte et sort, presque soulagée. Elle a au moins une petite idée de ce qu'elle va faire. Elle va courir jusqu'à la route et se cacher dans les arbres si une voiture approche. Peut-être que sa mère passera et qu'elle pourra l'arrêter. Ou peut-être qu'elle pourra convaincre quelqu'un de l'emmener en ville. Puis elle trouvera un endroit où se cacher jusqu'à ce qu'elle puisse joindre sa mère.

Et si ça ne marche pas, elle prendra un taxi ou louera une chambre. Après, on verra.

Lisa a déjà fait quelques pas sur le chemin lorsqu'un bruit l'arrête. Elle prête l'oreille et attend en retenant sa respiration, sans même cligner des yeux.

Le bruit se fait entendre de nouveau. Un sourire se dessine sur les lèvres de Lisa. Elle connaît ce son. Aucun doute, c'est Jacquot.

Il est en vie et il l'appelle !

Elle fait le tour de la maison à toute vitesse. Le bruit vient de loin, des profondeurs du bois. Lisa doit s'arrêter souvent pour mieux se laisser guider.

À un certain moment, Jacquot se tait. Lisa panique. Est-ce que quelqu'un l'a attrapé ? Elle siffle pour inciter l'oiseau à continuer. Sa réponse se fait entendre, beaucoup plus près. À mesure que Lisa s'enfonce dans la forêt en repoussant les branches, le cri de Jacquot devient de plus en plus clair. Lisa l'aperçoit enfin.

S'il n'avait pas bougé, elle ne l'aurait peut-être pas vu. Il est perché sur une branche de pin, caché derrière les aiguilles. Dès qu'il aperçoit Lisa, il se retrouve la tête en bas et, se tenant par une patte, il l'appelle joyeusement. Lisa lui tend la main et il se pose tout de suite sur son doigt.

— Jacquot, qu'est-ce qui s'est passé ? Comment t'es arrivé jusqu'ici ? T'as pas pu marché ni volé. Es-tu blessé ? C'est dommage que tu puisses pas tout me raconter.

Il n'a pas pu se rendre ici tout seul. Pourquoi l'a-t-on amené si loin dans la forêt ?

Lisa entend soudain des pas.

Puis elle comprend. Est-ce qu'on a amené Jacquot aussi loin pour l'attirer, elle ? Si c'est le cas, c'est réussi.

Lisa ne bouge pas. Les pas se sont arrêtés. Ses yeux scrutent la forêt, mais elle ne perçoit aucun mouvement, ne voit aucune silhouette. Pourtant, il est là.

Au son de sa voix, Lisa bondit. Elle cherche d'où vient la voix, mais c'est comme si elle sortait des arbres.

— Tu es morte.

C'est à la fois un murmure et une proclamation.

Lisa se met à courir vers le chalet. Elle ne réfléchit pas, mais elle court en serrant Jacquot contre sa poitrine.

Elle n'entend aucun pas derrière elle et, au bout d'un moment, elle s'arrête pour reprendre son souffle. Elle tend l'oreille. Il est peut-être parti. Tout à coup, l'idée de se retrouver dans le chalet ne lui paraît pas aussi mauvaise. Elle pourrait appeler la police, barricader les portes et les fenêtres. Elle ne sait pas comment, mais elle peut au moins essayer.

Cette fois, pourtant, la voix se fait entendre devant elle.

— Je ne peux pas te tuer. Tu es déjà morte.

La voix dure lui glace le sang.

Lisa court dans l'autre direction. Quand elle n'en peut plus, quand les muscles en feu de ses jambes ne peuvent plus lui permettre de faire un seul pas, elle se cache derrière le plus gros arbre qu'elle trouve.

Cette fois, elle voit briller le canon d'un fusil avant d'entendre la voix.

Elle reprend sa course.

Deux fois encore, elle tente d'échapper à la voix, mais en vain. Dès qu'elle s'arrête, la voix l'accueille. Elle finit par comprendre qu'elle ne peut plus s'enfuir. Elle est coupée et égratignée de partout à cause des branches ; ses poumons et ses jambes ont donné tout ce qu'ils avaient.

C'est à ce moment qu'elle trouve une sorte de creux au pied d'un arbre. Elle s'y blottit et se couvre de toutes les feuilles qu'elle peut ramasser. Elle serre Jacquot contre sa gorge en attendant que les pas reviennent et que la voix prononce son horrible message.

Lisa attend la mort. Il la trouvera. Il semble se déplacer dans la forêt comme par magie. Il la trouvera, et la tuera.

Il n'y a plus d'issue.

Mais à mesure que les minutes passent, Lisa reprend espoir. Il a peut-être laissé tomber. Peut-être qu'il a seulement voulu lui faire peur.

Puis elle entend les pas qui vont et viennent. Il

l'a perdue pendant un instant, mais il la retrouvera en ratissant la forêt.

C'est là que Lisa décide de plonger dans ses souvenirs. Elle sait bien que sa cachette n'est pas assez bonne et qu'il la tuera. Elle se demande si quelqu'un saura un jour ce qui lui est arrivé ou si on ajoutera simplement son nom à la liste des personnes mystérieusement disparues.

Mais quelle importance ?

Les pas approchent et Jacquot s'agite. Lisa est presque soulagée quand Jacquot réussit à se libérer et pousse un cri. Les pas s'amènent rapidement cette fois, plus bruyants et plus déterminés.

Un autre cri d'oiseau résonne. Mais ce n'est pas Jacquot, cette fois. Stupéfaite, Lisa tourne la tête vers la gauche, là d'où vient le cri. Le cri de Jacquot ne ressemble à celui d'aucun autre oiseau. Il faut donc qu'il y ait un autre inséparable à tête grise dans la forêt, ce qui est absolument impossible. Lisa écoute les pas qui suivent la direction du deuxième cri.

Jacquot continue à remuer et Lisa craint qu'il crie de nouveau. Elle le saisit et le maintient fermement contre son ventre. Il se tortille et va même jusqu'à lui mordre un doigt, mais Lisa étouffe ses protestations. Encore une fois, elle entend le cri de l'oiseau, encore plus loin à gauche.

Comme il n'y a plus de bruit de pas, Lisa se relève lentement, silencieusement, et s'accroupit. Elle reste immobile pendant quelques minutes et tend l'oreille. Mais elle n'entend rien.

— Lisa.

La voix résonne derrière elle, sifflante et anxieuse.

— Lisa !

Elle se laisse retomber, prête à retourner dans sa cachette.

— Princesse Lisa !

Princesse Lisa ? Il n'y a qu'une seule personne qui l'appelle comme ça.

— Viens. Par ici, chuchote la voix de Félix.

Elle regarde derrière elle.

Le visage sérieux et tendu de Félix surgit derrière un arbre à une dizaine de mètres de Lisa. Félix lui tend la main.

Lisa se lève. Ses membres engourdis lui font mal.

— Dépêche-toi, dit Félix.

Elle avance vers lui prudemment. Est-ce la bonne chose à faire ? Ne court-elle pas un plus grand danger en s'exposant ainsi ?

Mais de toute façon, ça ne peut presque pas être pire.

— Suis-moi, dit Félix en plongeant son regard dans le sien. On a pas beaucoup de temps.

Lisa le suit tandis qu'il se faufile entre les arbres et les broussailles, comme s'il marchait sur un sentier qu'elle ne peut pas voir. Lorsqu'ils atteignent la lisière du bois tout près du chalet, Félix hésite, puis se penche vers elle.

— J'ai laissé mon auto sur le bord du chemin après le premier virage. Dépêche-toi. On est facilement repérables ici.

Lisa le suit aussi rapidement que le lui permettent ses jambes engourdies. Elle s'attend à entendre un coup de feu d'une seconde à l'autre.

Félix lui ouvre la portière et court du côté du conducteur. Lisa se pelotonne sur le siège et retient son souffle jusqu'au moment où la voiture démarre en trombe sur le petit chemin. Félix conduit comme si tous les démons de l'enfer étaient à leurs trousses.

Au bout de quelques kilomètres, Lisa craque. Elle se met à trembler et à pleurer à chaudes larmes. Félix tend la main et effleure son visage mouillé.

— Comment t'as su ? finit par demander Lisa.

— En retournant à l'école, j'avais pas la conscience tranquille. Je me disais que je devais respecter ta décision ; mais d'un autre côté, je savais bien qu'il se passait quelque chose d'anormal.

— Alors tu es revenu ?

— Je jouais toujours dans cette forêt-là avec mes cousins quand j'étais petit. Je me suis dit que, de là, je pourrais m'assurer que tout allait bien et repartir sans que tu le saches.

Lisa se tourne pour regarder derrière elle. Il n'y a aucune voiture en vue.

— Mais il se passait des choses étranges quand je suis arrivé. J'ai aperçu un homme dans le bois ; il tenait un oiseau qui criait à tue-tête. L'homme a sacré quand l'oiseau l'a mordu.

Lisa sourit à Jacquot.

— Puis je l'ai vu le poser sur une branche

d'arbre. J'étais certain que c'était ton oiseau à la manière dont tu me l'avais décrit. Je comprenais pas ce qui se passait, alors je suis allé plus loin dans la forêt.

— Et je suis arrivée ?

— Oui, et c'est là que j'ai vu que c'était grave. Lisa, l'homme avait un fusil et il te poursuivait.

— Je sais.

— Je savais pas quoi faire pour l'éloigner de toi. Je me préparais à bondir sur lui pour le désarmer quand tu as disparu.

— Je me suis cachée au pied d'un arbre.

— C'était une bonne idée. Ça m'a permis de m'enfoncer plus profondément dans la forêt. Quand Jacquot a crié, je l'ai imité pour attirer l'homme. C'est ma grand-mère qui m'a montré ça.

— Il aurait pu te tuer.

— C'est toi qui l'intéressais, dit Félix avec sérieux. Lisa, qui c'est, ce gars-là ? Pourquoi est-ce qu'il voulait t'attraper ?

Lisa ne dit rien pendant un long moment.

— C'est pas ton ancien *chum*, hein ? Il avait l'air trop vieux pour ça.

Lisa secoue la tête.

— Qui c'est, Lisa ? Qui essayait de te tuer dans la forêt ?

Les larmes ruissellent sur ses joues. Félix a le droit de savoir, mais Lisa est incapable de lui répondre.

Chapitre 20

Félix conduit Lisa directement chez sa grand-mère. Elle accueille la jeune fille avec chaleur et n'a aucun mal à convaincre Jacquot de se poser sur son doigt. Estomaquée, elle écoute Félix lui raconter ce qui s'est passé.

— J'appelle la police, dit-elle d'un ton ferme.

— Non, proteste Lisa.

— Lisa, un homme a essayé de te tuer, dit Félix. Il avait une arme. S'il n'est plus une menace pour toi, il en est toujours une pour les autres. Ou pour lui-même, ajoute-t-il gravement.

Lisa n'a jamais pensé à ça. Elle a toujours considéré que le problème, c'était elle.

— T'inquiète pas, Lisa. Je serai là. Je vais t'aider à leur raconter, dit Félix.

En attendant l'arrivée des policiers, Lisa tente de joindre sa mère. Il n'y a pas de réponse à la maison ni chez son père. Elle laisse donc un message sur les deux répondeurs, demandant à sa mère de la rappeler immédiatement chez la grand-mère de Félix. Qu'est-ce qu'elle peut dire de plus ?

L'entretien avec la police est encore pire qu'elle l'a imaginé. Deux policiers lui posent des questions auxquelles elle ne veut pas répondre.

— Dis la vérité, Lisa, insiste doucement la grand-mère de Félix. Rien de ce qui s'est passé n'est ta faute. Tu n'as rien à cacher.

Lisa laisse tomber plusieurs détails, mais raconte tout le plus fidèlement possible. Les policiers se rendent tout de suite au chalet pour arrêter l'individu, après avoir ordonné à Lisa de rester où elle est jusqu'à ce que le suspect soit appréhendé.

Appréhendé. On dirait qu'ils parlent d'un assassin.

— Il a essayé de te tuer, dit la grand-mère de Félix après le départ des policiers. Il a besoin d'aide.

Lisa hoche la tête, les larmes aux yeux.

La grand-mère de Félix s'assoit à côté d'elle sur le canapé et la prend dans ses bras. Lisa se raidit, mal à l'aise.

— Pourquoi tu ne te reposes pas un peu ? Tu es épuisée à force d'avoir couru comme ça. Viens.

En compagnie de Félix, elle guide Lisa vers la chambre d'amis au deuxième étage. Lisa s'allonge, étonnée de voir comme c'est bon de poser sa tête sur l'oreiller. Puis elle entend Jacquot crier en bas et se redresse immédiatement.

— Je vais m'occuper de lui, dit la grand-mère de Félix. Essaie de te détendre un peu.

Félix la regarde tendrement et suit sa grand-mère en bas. Lisa se met en boule et ferme les yeux.

Elle a sûrement somnolé un peu, car quelques

minutes plus tard, la sonnerie du téléphone la réveille en sursaut. Puis elle entend des pas dans l'escalier.

— Ta mère est en route, annonce la grand-mère de Félix.

Lisa ouvre les yeux. Elle ne sait pas trop si elle est contente. Elle aime sa mère, bien sûr, mais elle se dit aussi que tout ce qui arrive est un peu sa faute.

Elle fait semblant de dormir jusqu'à l'arrivée de sa mère, qui entre dans la chambre en coup de vent. Elle s'assoit sur le lit à côté de Lisa et lui caresse les cheveux.

— Lisa, je m'en veux tellement. Je te croyais en sécurité.

— Je sais, dit Lisa d'une voix à peine audible.

En bas, le téléphone sonne encore une fois.

— Madame Lavoie, on a besoin de vous au poste de police, dit la grand-mère de Félix.

— Tu veux venir avec moi ?

— Non, répond Lisa sans hésiter.

— Est-ce qu'elle peut m'attendre ici ? Je sais que nous abusons de votre gentillesse, mais...

— Ne dites pas de sottises, proteste la grand-mère de Félix. Laissez-la ici avec moi.

— Merci, dit Lisa en se demandant pourquoi elle se montre aussi gentille avec quelqu'un qui a mis la vie de son petit-fils en danger.

Félix, lui, a l'air d'un lion en cage. Il veut aider, mais ne sait pas comment.

Le reste de la journée et la nuit se déroulent dans

un tourbillon d'appels et de visites des policiers. Quand tout est enfin terminé, Lisa s'excuse auprès de la grand-mère de Félix.

— Ma chérie, ne t'excuse pas, dit-elle après avoir demandé à Lisa de l'appeler grand-maman. Il y a longtemps que ma vie n'a pas été aussi excitante. J'ai l'impression d'être un personnage d'un roman policier de P.D. James.

« Je dirais plutôt d'un roman d'horreur de Stephen King », pense Lisa.

Elle panique quand sa mère revient.

— Merci, dit sa mère. On vous a causé bien des ennuis. On va rentrer, maintenant.

— Laissez-la rester ici jusqu'à ce que tout soit réglé. Elle est en sécurité ici.

— Je ne peux pas... commence la mère de Lisa.

— Pourquoi ne pas demander à Lisa ce qu'elle en pense ?

— Je veux rester ici, déclare celle-ci.

Félix lui fait un grand sourire. Lisa ne peut pas en faire autant, mais elle apprécie son enthousiasme.

Comme elle refuse de remettre les pieds chez elle, c'est donc Félix et sa mère qui vont chercher ses affaires et la cage de Jacquot.

— Je reviens aussi vite que possible, lui dit sa mère en la serrant très fort dans ses bras.

— Ça ira, dit Lisa.

Et elle en est presque convaincue.

Chapitre 21

Au bout de quelques mois, Lisa finit par avoir des réponses. Elles sont horrifiantes, mais bénéfiques. Pour la première fois, Lisa comprend.

En fin de compte, c'est le Viêtnam qui était la cause de tout ça.

Pendant la dernière semaine que son père a passé là-bas, il s'est rendu en compagnie de onze autres soldats dans un petit village qui, apparemment, abritait des communistes armés. Deux soldats de leur compagnie avaient été tués la veille par des tireurs isolés et on prétendait qu'il y en avait partout. Les soldats, tendus et bouleversés par la mort de leurs amis, ont fait irruption dans le village, prêts à tirer. Dix ou douze villageois avaient déjà été rassemblés quand une silhouette a surgi d'une hutte en tenant un objet cylindrique pointé vers le père de Lisa. Son père a tiré pour se défendre, certain qu'il faisait face à une arme.

C'est seulement lorsqu'une femme a quitté le groupe de villageois pour se jeter par terre et bercer le corps, que le père de Lisa a compris ce qu'il avait fait. Il avait tiré sur une jeune fille de seize ans. Elle tenait sous son bras un carton roulé sur lequel elle avait dessiné un magnifique oiseau vert. La femme en pleurs a déroulé le carton et l'a lancé aux pieds du père de Lisa. Elle est retournée auprès du corps pour caresser les longs cheveux noirs de sa fille.

Les psychiatres de l'hôpital appellent ça une névrose traumatique d'effroi. Il y a certaines choses chez Lisa qui ont réveillé en son père le souvenir du geste qu'il a posé au Viêtnam. Ses longs cheveux noirs, d'abord. Par la suite, l'identification est devenue plus forte lorsque Lisa a atteint l'âge de la jeune fille tuée. Son père a franchi le dernier pas vers la folie quand il a aperçu Lisa avec son oiseau vert. Quelque chose s'est alors brisé en lui. Il a perdu le contact avec la réalité en revivant sans le vouloir les événements enfouis au fond de sa mémoire. La seule raison pour laquelle ça ne s'est pas passé avant, selon les psychiatres, c'est qu'il a utilisé son art comme exutoire. Les rouges et orange criards de ses toiles lui permettaient d'évacuer la douleur, la peur, le sang et la mort qu'il a côtoyés à la guerre.

Mais ça n'a pas été suffisant pour l'empêcher d'essayer de tuer sa propre fille. Pourtant, ce n'était pas Lisa qu'il poursuivait. C'était le fantôme de l'adolescente qu'il a tuée au Viêtnam. Un fantôme qui était déjà mort, mais qui n'arrêtait pas de le hanter.

« Je ne peux pas te tuer. Tu es déjà morte. »

Au moins, Lisa comprend ces mots maintenant quand elle les entend dans ses cauchemars.

Et malgré tout, elle éprouve de la sympathie pour son père, ce jeune homme qui s'est engagé dans l'armée pour fuir un père qu'il détestait, et qui s'est retrouvé dans une guerre qu'il haïssait encore plus.

Les psychiatres affirment qu'avec beaucoup de temps et de traitements, et avec le support d'autres vétérans du Viêtnam qui ont également connu l'horreur de la guerre le père de Lisa pourra s'en sortir. Il devra apprendre à vivre avec le passé et faire la paix avec ses souvenirs.

Tout comme Lisa.

Finalement, il a été décidé que Lisa demeurerait chez la grand-mère de Félix jusqu'à la fin de l'année scolaire. Grand-maman, comme l'appelle maintenant Lisa, prétend que c'est une joie pour elle d'avoir de la compagnie. Et elle est absolument folle de Jacquot, qui le lui rend bien, d'ailleurs.

Parfois, Lisa s'ennuie de sa mère, mais il y a toujours un fossé qui les sépare. Ça aussi, ça prendra du temps.

Et il y a Félix. Sa grand-mère doit l'obliger à rentrer chez lui. Sinon, il habiterait là aussi. Mais sa grand-mère ne veut pas en entendre parler.

— Lisa a besoin d'air. Laisse-la respirer.

Lisa et la grand-mère de Félix font du pain et ramassent les feuilles mortes. Parfois le soir, Lisa se laisse aller aux confidences. Peu à peu, elle se libère de sa peur, de sa colère et de sa peine. Elle arrive même à rire avec Jacquot et à parler de son père sans pleurer.

Avec une infinie patience, Félix s'efforce de l'égayer. Il l'accompagne en promenade, la conduit à l'école, lui achète de la crème glacée aux brisures de chocolat. Il la convainc même, par une soirée froide du début de l'hiver, d'aller au cinéma avec lui.

— Tu vas apprendre à me faire confiance, lui dit-il avec son plus beau sourire. Je te laisserai jamais tomber. Jour après jour, je serai honnête avec toi et je te ferai jamais de mal. Au bout de sept mille huit jours, tu commenceras à t'apercevoir que tu peux compter sur moi.

Lisa sourit.

— Sept mille huit?

— C'est un nombre qui m'a toujours porté bonheur, répond Félix en souriant.

Il prend la main de Lisa dans la sienne.

Et pour une fois, Lisa le laisse faire.

ACHEVÉ D'IMPRIMER
EN JANVIER 1996
SUR LES PRESSES DE
PAYETTE & SIMMS INC.
À SAINT-LAMBERT (Québec)